KB096574

환생클럽

송혜원 저

환생클럽

언데까지나
사랑해

프롤로그

"망인도 소원이 있다고?"

우리는 소중한 무언가를 떠나 보내면서 시작도 끝도 알려주지 않은 신비롭고도 밉살스러운 시간에게 빕니다. 망인을 꼭 평안한 곳으로 데려다 달라고.

하지만, 떠나 보내며 마음 아팠을 이보다 더 마음 아파했을 망인의 기도는 단 한가지 뿐이에요.

우리가 그저 행복하게 사는 것

기도 속을 걷다 보면 알게 될 거에요. 우리의 기도가 저 편의 망인의 기도와 맞닿아 있다는 것을.

치카 이모

★

침대에서 슬며시 눈이 떠지니 진회색의 커튼이 바람에 살랑살랑 춤을 추고 있다. 끝자락에 달린 흰색 프릴도 함께. 그 모습이 꼭 왈츠 같다. 창 밖이 어슴푸레 밝아오기 직전인 듯 새들이 지저귀기 시작한다.

구애를 하는 건지 일찍 일어난 새가 먹이를 찾는 건지 알 수 없지만 이건 새벽 4시 40분이다. 지저귀는 새들은 시각을 어떻게 아는지. 지저귀는 소리에 맞춰 일어나면 어김없이 새벽 4시 40분인 것이다.

시계를 보니 아...이런

9시 43분이었다.

밖을 자세히 보니 어두 컴컴한 것이 비와 천둥이 번갈아가며 치는 것 같다. 거의 대부분 시각을 맞추는 나로서는 이렇게 비가 오는 날이면 항상 늦잠을 자고 신이 낸 추리놀이에서 지게 된다.

신의 승리인 것이다.

오늘 하는 독서 모임이 걱정이 되어 메세지를 확인해보니 모임장이 기상이 악화되어 모임을 연기하겠다는 내용을 올려 놓았다.

벌써 7명중 5명이 읽은 모양이었다. 내가 그렇게 늦게 일어났나…

매주 수요일 아자부주반에서 독서 모임을 참여한지도 1년이 다 되어 간다. 나 같은 20대는 주로 일을 해서 그 시간대에 모일 수 있는 것은 끽해야 장을 보다가 파친코에 들러 담배 두 대가 타 들어갈 때 까지만 재미삼아 슬롯을 돌려대는 쇼와 출생 아줌마들 정도이다. 어차피 독서 모임이라면서 모여서 하는 일은 아저씨들 흉보는 게 전부이다. 그나마도 그 모임장이 없으면 잡담 때문에 진행조차 되지 않는다.

그 모임장이라는 사토 씨는, 지나가다 슬쩍 봐도

한 번은 더 눈길을 주게 생긴 미남으로, 셔츠를 반만 바지 위로 빼 입는다던지 화려한 꽃무늬 넥타이를 느슨히 멘다던지 하는 풋내 나는 날라리들이 하는 전형적 수법을 쓰지 않은 채 그저 하얀 셔츠에, 무지루시에서 파는 청바지를 입었을 뿐 인대도 광이 난다. 특히, 얇게 연필로 그린 듯한 눈썹의 그의 왼쪽 눈이 오른쪽 눈보다 살짝 작은 것이 죽여준다. 쇼와 아줌마들이 그의 앞에서 과하게 앙탈을 부리게 만드는 데에 톡톡히 역할을 한다고 생각한다. 살짝만 웃어도 왼쪽 눈은 금방 반달 모양이 되어, 그 어떤 육체의 전율을 주기 때문이다. 고급 호텔에 가면 있는 흰 타올. 그리고 폭신폭신한 흰 배게. 얼굴을 파묻으면 몹시도 폭신폭신 할 것 같은.

나도 그가 여간 신경 쓰이는 것이 아니다.

하지만, 너무 이상형에 가까워서 이상형이 아니랄까…

그래도 태생은 여자인지라 그 앞에서 적어도 추한 모습을 보이기는 싫은 것이다.

집에서만 뒹굴어서 눈덩이처럼 불어나고 있는 몸. 71키로의 체중의 나는 고도비만의 멧돼지라고는 할 수 없지만 근래 들어 기름진 텐동에 빠지게 되어 뱃살이 보인다. 힘을 줘서 될 것 같지 않아 인터넷으로 압박 붕대를 주문했다.

엄마가 온 모양이다. 엄마는 내 모습을 보고는,

"치카야! 살을 빼야지 동글동글 해져서 압박 붕대를 사서 어쩌려고."

엄마의 말 보다 혹시 엄마가 오면서 샌드위치라도 손에 들고 오지 않았나 확인 작업을 하기 위해 몸을 이끌고 거실로 나가는 수고를 했다.

샌드위치는 없었다.

다만, 오는 길에 같이 마시자고 커피를 두 잔 사온 모양이었다. 퍽 다행이라고 여겼다.

"아니, 모임 나갈 때 하려고."

"어? 코르셋도 아니고. 어디 나가 쓰러질 일 있어? 쓰러져도 엄마는 부르지 마라."

빨대는 밉살스럽게 생긴 종이에 잘도 싸여져 있었다.

커피 한 모금의 차가운 쌉싸름함이 고스란히 식도

를 타고 내려가면서 이 쓸데없는 생각까지 잠식 시켰다. 방 안에 에어컨을 틀어 놓은 듯 온 몸이 시원해졌다. 기분 좋은 쌉사름함이었다.

★

비가 와서 모임은 취소가 되었지만 오늘 점심 아키코 이모가 엄마와 이야기를 하러 온다고 한다.

'사야 언니에 관한 일인가.'

놀러 오는데 아무런 이유따위 없을 이모인데 괜스레 얼굴이 붉어지기 시작한다. 얼굴이 붉어지는 것만큼 이유 없는 일이 없다.

아키 이모는 오늘 학부모의 수업 캔슬 요청이 와서 시간이 비는 듯 하다.

나는 이모가 대단하다고 감탄하면서도 4년전 있었던 일을 퍽 유감스럽게 생각하는 것이다.

이모가 일을 시작하기 전, 그 바닥에 먼저 손을 댄 것은 다름 아닌 나였다. 대학생들도 많이 하는 아르바이트이고 시급도 그럭저럭 나쁘지는 않아서 가벼운 마음으로 시작한 것이 화근이었다.

처음 가정교사로 임명되어 가정에 방문을 간 것은 소학교 3학년의 노리오 군 집이었다. 숨을 고르고 초인종을 누르자 가장 먼저 나를 마중 나온 것은 요코 씨였다.

요코 씨는 독서 모임의 사토 씨의 인상보다도 훨씬 부드러워 보이는 흰색 털을 바람결에 휘날리며 공작새가 깃털을 자랑하듯 아주 자연스럽고 우아하게 걸으며 내게 다가와 나를 빤히 쳐다보았다.

고양이 주제에.

나를 파악하고 있는 것이다.

본인 스스로가 미인이라는 것을 알고 있는 듯한 요코 씨 앞에서 나는 그만 기가 죽어버리고 말았다. 누가 굽은 등을 고양이 등이라고 했나? 요코 씨의 우아한 자태를 보며 그렇게 생각했다.

"아, 선생님."

문을 열어준 노리오의 어머니는 그렇게 인사했다. 웃는 얼굴로 한 손으로는 문을 잡고, 한 손으로는 요코 씨를 안아 올리며, 하지만 빤히 나를 쳐다보는 눈을 했다.

"요코 씨, 잠깐 기다려요."

라고 그 집 고양이를 대기시키는 것에 미안한 표정을 하며 나를 대기시킨 그 어머니는,

나를 파악하고 있는 것이었다.

나는 어머니가 안내하는 대로 2층 층계를 올라가야 했다. 노리오 군은 방 안에 있는 듯 했다.

'수줍음이 많은 학생인가?'

순간 인사도 나오지 않은 노리오 군이 어떤 학생일지 궁금해졌다. 번질거리게 광택 발림이 되어 있는 목조 바닥을 소리가 나지 않게 살짝 발 뒷꿈치를 들어올리며 걸었다. 목조 바닥은 미끌미끌 할 정도로 청소가 잘 되어 있었고, 그 청소는 가정부가 미리 해 놓은 듯했다. 지금쯤 부엌일을 하고 있을 가정부는 매일 이 바닥을 닦으면서 무슨 생각을 할까.

2층 층계는 마치 지상에서 천국으로 가는 애니메이션 속의 그림 같이. 아주 길고 멀었다. 드디어 노리오 군의 방 문을 열었을 때. 나는 노리오 군이 수줍음이 많은 학생이 아니라 그저 부잣집 건방진 꼬마라는 것을 알 수 있었다.

"노리오 군, 오늘부터 같이 공부할 선생님이에요. 인사 드려야지?"

노리오 군이라고? 본인 아이를 남의 아이처럼 부르는 어줍잖은 귀족의 말투가 나는 어쩐지 마음에 들지 않는다.

'안녕하세요'

그런 어머니의 말을 듣고서야 입을 연 노리오 군은 내게 짧막한 인사를 하고 나에게 딱 한 번 눈길을 주었다.

이미 파악을 끝낸 것이다.

나는 아이들이 아주 어렵다. 사회성이 부족해서 전반적으로 모습조차 어색해 보이는 나를 아이들은 가차 없는 말로 주눅 들게 만들기 때문이다.

아이들은 성장하며 각기 가면을 제작해 쓰게 된다. 싫은 것이 있어도. 이상한 사람이 있어도. 웃으며 이야기를 할 수 있게 되는 것이다. 그것이 어른이 된다는 일이 아닐까…

노리오 군은 수업 내내 내가 무색하게도 나에게 눈길 한 번을 주지 않았다. 나는 열과 성을 다해 그 초

조하고 느리게 흘러가는 적막을 메꾸려고 했으나, 우리 둘은 알고 있었다.

이것이 우리의 마지막 만남이라는 것을.

내가 왼쪽 페이지의 Clara가 하는 대사를 가리키며 줄을 그으려고 몸을 조금 노리오 쪽으로 기대자, 그는 내가 냄새라도 난다는 듯 몸을 빠르게 왼쪽으로 피했다.

그건 정말이지 너무하다 싶을 만큼 굴욕적이었다.

엄마의 잔소리로 받은 돈이 400엔이라면 이 정도 굴욕은 40,000엔은 더 받아야 한다고 생각했다. 이번 일로 회사에서 선생님 교체가 이루어지게 되면 내 수중에 들어오는 돈은 단 1500엔이다. 지폐에 그려진 노구치 히데요가 울고 있다. 본인은 그 정도의 가치의 지폐가 아니라고.

노구치. 아니, 노리오 군과의 수업이 마무리 되어갈 때 즈음 그가 내게 대뜸 말을 뱉었다.

"선생님, 수고하셨습니다."

"아… 그래."

마무리를 할 여유도 주지 않을 만큼 내가 싫었던 것일까. 노리오에 의해 그렇게 마무리 된 수업은 후일 내게 잊을 수 없는 굴욕적 사진 한 장이 되어버렸다.

수업이 끝나고 쫓겨나는 나의 뒷모습을 요코 씨만이 조소하듯 바라보고 있었다(요코 씨의 얼굴을 보지는 못했지만 아마 그런 표정을 짓고 있었으리라 생각한다).

예상하던 대로 받은 회사로부터의 연락에서 나는 예상치 못한 답변을 들었다.

"치카 선생님이시죠?"

"네, 안녕하세요."

"안녕하세요. 아… 다름이 아니라요,"

센터장은 이미 생각해 놓은 말을 내게 메뉴판 읽듯 글을 낭독하기 시작하였다.

"이번에 회사에서 대규모 선생님 교체 및 재배정 작업을 진행하게 되서요, 치카 선생님 계속 일을 하시기가 조금 어려울 것 같아요. 저희 쪽에서도 본사에 확인을 해 보았는데 아무래도 그렇게 결정이 나서요. 저희 측이 아니라 본사 결정이라 어쩔 수 없어요. 죄송하게 생각합니다. 양해 부탁드려요."

센터장은 녹음되어 있는 음성을 읽어주듯 다다다다 말을 끝냈다. 나의 항변은 도저히 들어 줄 여력이 없어 보였다.

나는 그렇게 가정교사직에서 짤렸다.

가만히 생각해보면 컴플레인이라는 것은 감사한 걸지도 모르겠다. 그래도 그 사람이랑 같이 발을 맞춰 나가고 싶으니 개선해 달라는 의사 아닌가. 나는 내가 해고 된 이유를 알 것도. 그렇지만 모를 것도 같았다. 노리오 군 가정에서 나의 가르치는 방식에 문제가 있다고 했다면 아마 컴플레인으로 처리되어 선생님이 교체가 되었을 것임에 분명하다.

그러나, 예를 들어, 노리오 군의 어머니가 나의 몸에서 지하방의 몹쓸 악취라도 난다고 이야기를 전했다면 회사는 아마 지금처럼 이야기했을 가능성이 높겠지.

익월 즈음이 되어 편의점에 들어가서 자동인출기 앞에서 통장 카드를 넣어 회사가 정말로 내게 노구치 히데요 한 명을 넣었는지 확인하는 순간 문득 눈물 방울방울이 떨어졌다. 확실하게 찍혀 있었다.

1500엔.

★

아키 이모가 초인종을 눌렀다. 나는 달려 나가는 지로에게 질 세라 치타와 같은 걸음으로 나가 이모를 반겼다.

"치카구나! 오랜만이네~"

밖은 비가 소나기처럼 퍼붓고 있었다. 이모는 전신이 젖어 있었고 예뻤을 구두는 진흙탕 색이 되어 버려 원색을 가늠할 수 없었다. 나는 놀라 이모의 모습을 한동안 바라보았다.

"들어가도 되지?"

"아! 응, 이모 들어와."

이모를 들일 생각도 못하고 아마 멍을 때리고 만 것 같다.

급한 말이라도 있었던 걸까.

"아이고. 비 오는데 오느라고."

이모에 내줄 차를 끓이고 있는 동안 엄마가 말했다.

"바닥이 다 젖어버려서 어떡하냐."

"에이, 더 더러워 질 것도 없어. 사야는 잘 있어?"

"잘 지내는 거 같아. 통 전화가 없어서 말이지."

"그래, 몸 컨디션은 괜찮나? 감기 걸려서 걱정을 많이 했어."

차를 우릴 물이 다 끓었다. 차를 이모에게 내어주고 나면 나는 방으로 들어가야 겠다고 생각하며 조심스럽게 티백위로 뜨겁게 끓는 물을 부었다.

"여기."

"차까지 내주고. 고마워."

나는 조심스럽게 흰색 도자기 컵을 테이블에 내려놓고 방으로 향했다. 왠일인지 지로가 나를 다 따라오고 있었다. 이모가 어색해서 그러는 것이지 내가 좋아서 그러는 것은 아니라 생각하니 쓸쓸한 마음이 든다. 아침 마신 커피와는 또 다른 쓸쓸함이었다.

★

벽에 내가 그린 우울한 초상화가 그려져 있다. 무언가를 골똘히 생각하는 것 같은 표정의 그 사람은 사실 나처럼 멍을 때리고 있는 것일지도 모른다. 패전 후 국민들의 우울한 삶과 번뇌를 어떻게 하면 작품에 가감 없이 드러낼 수 있을까. 그런 생각을 하는 걸까?

나는 그가 의외로 번뇌를 거듭해 며칠 밤 불면을 한 결과 어딘가를 응시하는 표정을 하며, 사실은 그저,

'아 졸리다.'

라고 생각했을지도 모른다고 느꼈다. 내 자신이 피로해서 그런 건지 몰라도 그 대사 다음에 자신의 좁은 다다미 방에 몸을 모로 뉘이며 하품을 했을 것만 같다.

그 인물은 말했다.

겁쟁이는 행복조차 두려워하는 법이라고.

나는 사실 묘한 질투 섞인 두려움에 떨고 있다.

……

이모의 딸. 그러니까 내 사촌 언니 사야가 아이를 가졌기 때문이다.

그러나 나에게 드는 질투심의 마음은 어쩌면 언니에게 좋은 일이 생겼다는 것의 건전한 반증일지도.

결혼식을 갔던 것이 엊그제 일 같은데 벌써 아이는 6개월에 접어들고 있다. 이모와 이모부는 물론이고 이름부터 생소한 화학 물질 과민증 때문에 힘든 시간을 보내는 할머니와 그걸 지켜보는 할아버지. 그리고 우리 엄마에게 그것은

'힘들어도 세상은 그렇게 굴러가기는 하는구나'

하는 믿음을 주는 아주 기쁜 일이었다.

내가 고등학생 때.

언니가 평소부터 콤플렉스로 생각하는 귀에 있는 큰 점을 보고,

"근데 그거 좀 벌레 모양 같다."

라고 한 것을 계기로 우리는 모세가 갈라놓은 큰 대로변처럼 갈라져 버린 것이었다.

사야 언니는 귀에 있는 큰 점을 그 누구보다도 싫어했다. 그래서 항상 머리를 길러 귀를 덮고 다니며 바람이라도 불어오면 바람을 원망하며 머리카락으로 다시 귀를 덮기도 했다. '그것'에 대해 언급을 하였으니 나는 사실 언니가 어떤 태도를 취해도 어찌 할 수 없는 모양새가 된 것이다.

서로 장난을 칠 수 있는 사이라고 여겼던 것이 화근이었고 나의 장난도 도를 넘었다.

책상 위의 커피 우유가 하얗게 되어 내 얼굴을 바라본다. 하얗게 되버릴 때 까지 아마 그 자리에서 오래 있었던 것 같다. 누군가를 기다린 걸까? 아니면 나를… 바라보고 있었을까.

빙글빙글한 얼굴로 나를 보고 있지만, 그것은 노리오 어머니 것 같은 차가운 미소가 아니라, 식어버렸지만 오히려 따뜻한 미소였다. 나도 오래되어 하얗게 식어버린 커피우유에게 조금 웃음을 웃어주었다.

비는 이제 조금 그쳐 구름 사이로 햇살이 아주 조금 얼굴을 내민다. 물웅덩이에 자신의 얼굴을 비추어

보려는 것이다. 그녀는 여전히 미인이겠지.

언니는, 혹시 그저 지나가는 소나기처럼 변덕스럽게 나를 받아주지는 못하는 걸까? 도리어 잘못한 내가 언니에게 서운한 감정을 키워갈 무렵. 언니가 아이를 가졌다는 소식을 전해 들은 것이었다.

처음에 그 소식을 들었을 때는 한 마디로 당황스러웠다. 나는 어떤 태도를 취해야 하지. 그러나 무슨 변화가 있었는지 몰라도, 나를 보게 되면, 언니는 전과다르게 내게 노리오의 어머니 같은 미소에서 커피우유 같이 조금은 따수운 미소를 지어주게 되었다.

돌아오던 날 내리 생각했다.

아이라…

아이라…

아이…

한참을 그 단어를 곱씹었다.

'왠지 보드라울 것 같아.'

'하늘하늘한 천 보다도 여리고 작고 보드라울 것같아.'

그렇게 작은 아이를 나는 한 번도 실제로 본 적이 없다. 아이가 뱃속에 있다니. 보드라운 아이를 가진 언니는 무척 좋겠다고 생각했다. 무척.

그러다가 문득 겁이 나기 시작한 것이다.

'아이잖아. 분명 내가 이상하다고 싫어할 거야. 아이가 조금 크면 볏짚동자 이야기를 들려주고 싶은데. 아마 안 되겠지? 아이가 싫어할꺼야.'

누군가에게 차인 듯, 나는 마음 한 켠이 아려왔다.

그런데 마음 한 편에서 이상하게도 다른 목소리가 들려온다. 처음에는 웅얼웅얼하더니 나중에는 확실히 본인이 하고 싶은 욕구를 말하기에 이른다.

'아이가 태어나면 나는 이모가 되는 걸까?'

'촌수는 조금 있지만 나도 아키 이모 같은 사람이 되고 싶어.'

'아키 이모랑처럼 손잡고 화과자점도 가고 그러고 싶다. 그때 먹은 화과자 정말 맛있었는데.'

'아이가 사랑하는 사람의 열 손가락 안에는 들고 싶은 걸?'

쓸데없이 미래의 일까지 생각해대기 시작했다. 버릇이었다.

나는 사야 언니와의 일은 까맣게 잊어 버리고 아이를 생각하며 신이 나서 조금 흥분해 이야기를 계속해 나갔다. 비에 젖은 아키 이모가 집에 돌아가고 나서도 말이다.

나는 겁이 나면서도 '신기한' 아이의 존재에 대하여 생각을 그칠 수가 없었다. 그것은 그치지 않던 나의 심저에서 오는 눈물보다 더 오래 계속 되었다. 한 생명이 태어난다는 것.

밤이 어김없이 나의 방문을 두드렸다. 열어주지 않는 선택지 따위 없었기에 나는 기다렸던 마음을 숨긴 채 새침하게 문을 열어주는 것이다.

어서 와.

진짜 그래도 돼? 하는 수줍은 소녀의 모습을 한 밤이 내 방안으로 스미어 왔다. 어릴 적 나는 낮이 줄곧 여자라고 생각했다. 한참 크게 되고 불어, 이탈리아어를 접하고 나서야 나는 밤의 편이 여자라고 깨달게 된 것이다. 그 '밤'이라는 여성명사는 진심으로 여자. 정확히는 소녀 같다고 생각했다. 여자라고 하기에는 너무 정제되어 있지 않은 두서 없는 감정이 있기 때문이었다.

아버지가 돌아가시고 나서는 줄곧 밤과 대화를 해댔다. 가끔 밤 하늘에 별이라도 뜨는 날이면 더욱 신이나 소원을 빌기도 했다. 그때부터 나의 소원은 단한가지였고, 바뀐 적이 없지만 말이다.

살랑살랑 자연스럽고 편안한 밤은 내게 평안을 선물해준다. 낮 동안 내내 불안하고 심란한 마음을 가라앉히는 것도 그녀이다.

불면증이 있는 내게 있어 밤은 그저⋯내 인생 그 자체였다.

밤은 오늘도 방의 오른쪽 가장 구석에 앉아서 내가 글 쓰는 것을 구경한다. 사실 말을 잘 걸어오는 편도 아니다. 내 편에서 오히려 말을 걸어야 한다.

"오늘. 사야 언니의 프로필 사진을 봤어."

"그랬구나."

"근데, 아이가 태어난다고 하는 게 잘 믿기지 않

아."

책상 위에 놓인 커피 우유가 내게 말을 걸어왔다.

"여러가지 생각이 드는구나?"

"그래. 솔직히 말 그대로 생각이 여러가지야. 근데, 언니의 아이는 무척 예쁠 것 같아."

진회색 커튼이 선풍기 바람을 따라 왈츠를 춘다. 이치 니 산 시. 전차에서 발로 춤을 추는 '쉘위 댄스'의 샐러리맨 아저씨를 연상시켰다. 오늘 아침과 같은 풍경이 펼쳐지는 것이다. 특히 이 흰 색깔의 프릴이 끝 자락에 달려있어서 좋았다. 아름답고 따뜻했다. 내게는 조금도 유치하지 않았다.

"아!"

문득 정신이 들며 생각이 떠올랐다.

귀퉁이에서 졸던 밤도. 그리고 커피우유도 깨워내고 말았다.

나는 그 날밤.

언니의 아이에게 프릴이 달린 치마를 만들어 줘야겠다고 생각했다.

이왕이면 손으로 직접 만들어주고 싶었다. 재봉틀이 필요했다. 재봉틀.

나에게도 재봉틀이 있었다. 아… 정확히는 있을 뻔했다. 시골에서 살다 돌아가신 친할머니의 형제 맏언니인 효고할머니(호칭을 효고에서 태어났다고 효고할머니라고 하다니, 거의 겐지모노가타리의 '기리쓰보노코우이' 수준의 명칭이라고 생각하며 후일 개탄했다)가 내게 남겨 주신 유품이었다.

생전에 효고할머니의 자택을 아버지, 친할머니, 그리고 엄마와 함께 방문한 적이 있었다. 딱 한 번. 이었다. 누구에게도 첫인상이 나쁜 내가 어쩐지 그 분과 그 분의 시바 견 타로 씨에게는 쏙 마음에 든 모양이었다. 효고 할머니는 나를 보시더니 조금 미소를 띄우며 내 손을 잡으시고는 집안 이곳 저곳을 구경시켜 주시기 시작했다.

"당신, 참 카랑카랑한 목소리를 하고 있네.

여기 여어가 내가 자는 곳인데 말야 누워봐봐."

나는 멀찍이서 조그맣게 고개를 끄덕이는 아버지의

얼굴을 보고는 그 아무것도 깔려 있지 않은 다다미 방에 누워 보았다. 시원한 바람이 불어와서 그런지 몸이 조금 조금 으슬해졌다.

"여기 누우면. 자시키와라시가 보여. 아가씨한테만 해주는 비밀 이야기야."

할머니는 내 귀에 대고 조용히 속삭이셨다.

그리고도 부엌에 가서 앙을 만드시려고 팥을 재우는 모습이나, 먹을 것을 거부하는 타로 씨에게 먹이를 주는 묘책도 가르쳐 주셨다.

이제야 나이가 17살이 되어 걸음조차 제대로 걷지 못하는 타로 씨는 밥을 먹기를 거부하는데, 그럴 때마다 먹을 수 있게 도와드리는 방법은.

기쁘게 주라는 것이었다.

먹지 않아서 서두르는 주인들을 보면 개는 더 먹지 않는다는 것이 할머니의 경험에서 나온 지론이었다. 나는 지로가 나이를 먹어도 효고할머니처럼 정정하고 올곧은 마음으로 그리 키워야 되겠다고 마음 먹은 것이다.

할머니는 마지막으로 본인의 방으로 나를 끌고 들

어가 재봉틀을 보여주셨다.

"이이 내 오래 쓴기인데 괜찮거든 아가씨 가져."

"아… 아니에요."

"그랴? 그러면 내 죽거든 가져가라. 야가 아가씨를 좋아하는 것 같네."

흰 색깔의 재봉틀은 효고할머니만큼 오래 살았으리라 추측했다. 하지만 할머니 댁의 앙과. 타로 씨와. 그리고 재봉틀 모두 하나같이 올곧은 표정을 하고 있었다. 세월의 무게가 무겁게 느껴지는 그 얼굴은 근엄했고, 무엇보다 품위가 있었다.

나는 생각치도 모르게

"네에."

하고 구두 약속을 하고 만 것이다.

돌아오는 길 할머니는 내내 입이 나와 계셨다.

"그 양반이 원래 그러는 사람이 아닌데."

라는 말을 되풀이했다. 오랜만에 본 형제보다 나를 반긴 것이 영 서운하신 모양이었다.

효고할머니가 돌아가시고는 그 재봉틀이 정말로 내 집에 실려온 것이다. 아버지 차에. 아버지는, 내가 잊어버린 그 날의 약속을 굳건히 기억하고 있었다. 나는 그 약속만큼이나 아버지의 얼굴마저 잊어버리고만 것 같다.

흰 재봉틀이, 왠지 슬퍼 보였다.

오래토록 세월을 같이 보내고 새 폐하의 임명과 함께 시대를 몇 번이나 연 모습을 보신 연로한 주인이 돌아가신 것을 몸으로 느끼는 듯 했다.

나는 재봉틀을 다룰 줄 몰랐다. 그 이유를 핑계삼아 엄마는 아버지 몰래 내게 다가와,

"치카. 이거 이 오래된 거 어떻게 할꺼야? 너도 가지고 있을 마음 없지?"

하고 물었다. 나는 그 당시와 같이 생각이 없이 그저 등살에 떠밀려 대꾸했다.

"아. 응."

나의 한마디에 또한 그 슬픈 표정을 한 재봉틀은 폐기되고 말았다. 재봉틀이 어디 갔느냐고 묻는 아버지의 말에 엄마는 크게 놀라며

"너무 오래 되어서 치카가 버린다고 해서 버렸어요."

하고 답했고 아버지는 그러냐며 더는 묻지 않았다.

그 재봉틀이 있었으면 좋았을 텐데…하며 흰 재봉틀과, 효고할머니와, 그리고 아버지의 지워져 가는 얼굴을 떠올려 보았다.

인터넷으로 효고할머니가 남겨주신 것 같은 예쁜 재봉틀을 주문했다. 그건 정확히는 중고의 것이다. 물론 가격이 생각보다 비싸서 중고를 찾은 것도 있지만 중고를 사면 능숙하게 발판을 밟으며 다르륵 다르륵 그것을 돌리던 주인의 혼이 내게 옮겨 탈 것 같아서. 그래서 더 예쁜 스커트를 만들 수 있을 것 같아서 그랬다.

내가 일어난 그 날은 드물게도 해가 중천에 떠있는 날이었다. 낮과 밤이 교차되는 저녁시간에 일어나, 또한 낮과 밤이 교차되는 새벽에 잠이 드는 나에게는 정말이지 드문 일이었다. 인터넷으로 주문을 마치고 나는 곧바로 천을 구하러 칸다(神田)에 가야겠다고 생각했다. 인터넷으로 천이 있는 가게가 어디 있는지 따위 사실 조사하지 않았다. 중고 물품이 넘쳐나는 그곳에 가면 분명 천을 파는 곳도 있을거야. 그렇게 생각한 것이다.

나는 치마를 사러 가는 것이 아니라 행복을 사러 가는 기분이 들었다.

'그럴테면 모처럼 예쁘게 하고 나가는 건 어떨까?'

나는 원피스라도 입을까 하며 옷장에서 하늘색 긴 원피스를 꺼내 들었다. 원피스를 살짝 내게 갖다 붙이니 그다지 나온 뱃살이 드러나지도 않고 다리의 무성한 털을 한올 한올 밀지 않아도 될 것 같은 넉넉한 길이였다.

문제는 겨드랑이였다.

겨울은 고사하고 여름에도 겨드랑이를 밀지 않는 여자는 없다. 팔을 걷어 거울 앞으로 가서 왼 팔을 크게 들어올려 보이니 무성하게도 자란 털이 주룩주룩 내려오고 있다. 어느 간사이 만자이(漫才) 꾼 정도가 쓰는 가발 같은 모양을 하고 있었다.

결국 팔꿈치까지 오는 검은 티셔츠와 청바지를 입

고 나가야 했다.

칸다에 가니 예상대로 중고 책, 중고 가전 기구, 중고 옷 들이 많이도 팔리고 있었다. 그들은 버림받은 눈을 하고 있지 않았다. 주인이 가게에 그들을 팔았다는 것은 일종의 인수인계다. 새로운 주인을 만날 수 있도록 그들을 새로운 세계에 인도해 준 것이다.

그들은 초롱초롱 한 눈을 하며 나를 쳐다보았다.

하나도 싫지 않은 시선으로.

칸다의 거리를 직선으로 걷고 있는 내 시야에 까마귀가 들어왔다. 까마귀를 자세히 들여다보니 노란색 목걸이를 하고 있었다.

예전 교제하던 남자친구의 부모가 옥상에서 레이싱 비둘기를 기르는 것을 떠올린 것은 부자연스러운 일이 아니겠다. 주인이 있는 새들의 징표인 것이다. 참고로 그 레이싱 비둘기들은 엄청난 근육질의 몸매를 하고 있으며, 날려 보내도 훨훨 날아가고 싶은 곳까지 날다가 잘도 집을 찾아온다고 했다.

나는 그 옥상에 한 번도 올라가지 못했지만.

어쨌든 이 까마귀는 그런 연유로 주인이 있는 것이

다.

웃기게도 그는 걸음을 천천히 걷고 있었다.

'보통 쉬거나 아니면 날아야 되는 것 아니야?'

주위를 둘러보니 어느덧 칸다의 사람들은 어디로
갔는지 하나 둘 흩어지고 거의 나와 까마귀 둘 만이
남았다. 까마귀는 흘깃 흘깃 뒤에서 걷는 나를 쳐다
본다. 어쩌면. 아니 꽤 높은 확률로 그는 내가 잘 따
라가고 있는 것인지 감시하는 것이다.

그를 따라간 길의 끝에는 놀랍게도 천 가게가 있었
다. 천 가게 문을 열고 두리번거렸다.

"실례합니다~"

"저기….."

"아아! 어서오세요."

그렇게 대답한 할머니 주인이 안쪽에서 나왔다. 안
쪽은 부엌인 듯하고 아무래도 가게와 살림을 하는 집
이 같이 이루어져 있는 것 같았다. 이상하게도 잠시
전 까지만 해도 부엌에 계신 듯 에이프론을 하고 계
셨지만 음식물의 냄새는 조금도 베어 나오고 있지 않

33

았다. 신기한 일이다.

"손님 오셨나?"

부엌의 옆쪽 방에서 할아버지의 목소리가 들렸다.

"네~여보. 아주 귀한 손님이 오셨어요."

천 가게는 상호가 없는 듯했다. 이름 없는 천 가게
라…

"아저씨하고 나하고 그냥 둘이서 소소하게 하는 가
게에요. 먼 길 오시느라 수고가 많았죠? 일단 잠깐
앉으세요."

할머니는 내 생각이라도 읽은 듯이 말씀하시고는
나를 작고 동그란 빨간 의자에 앉혔다. 그리고는 길
다랗게 생긴 차도용 막대를 들고 뜨거운 물을 부어
말차의 가루를 휘휘 정성스럽게 저으셨다. 나는 녹차
와 말차의 향을 구별할 수 있다. 어릴 적 아버지를
따라 시즈오카에서 차도를 수양한 적이 있기 때문이
다.

거품이 너무 나서도 안 되고 거품이 안 나서도 안

되는 조절이 가장 어려웠는데, 할머니는 몇 번이나. 아니 몇 백번이나 해 본 솜씨로 나에게 말차를 내주셨다.

"이런 것 까지 받아서 어떡해요."

"따뜻한 지금이 제일 맛있을 때 에요. 어서 드세요."

나는 말차를 한 모금 들이키고는 숨이 멎을 듯한 전율을 느낌과 동시에 잠시 이 곳이 이승의 가게는 아니라는 느낌조차 드는 맛이었다.

"너무 맛있어요."

나의 초라한 표현에 할머니는 웃으시며 말씀하셨다.

"무엇을 찾으시나요?"

"아…천을 찾고 있어요."

"여기는 천 가게니까 천을 찾는 거겠죠. 무엇을 만들려고 하나요?"

"치마를 만들 거에요."

"누구를 주려고 하는 것이죠? 그걸 알아야 내가 딱 맞는 천을 추천할 수가 있어요."

"누구를 주는지 어떻게 아셨어요?"

나는 완전히 내 초라한 행색이 내가 치마를 입을 리가 없는 사람이라고 할머니가 생각하게 만든 것이 부끄러웠다. 그러나 예상과는 조금 다른 답이 돌아왔다.

"그야, 아가씨가 이렇게 기쁘게 웃으면서 말하니까 그렇지요. 가게에 들어와서 아가씨가 웃는 것은 처음 봅니다. 호호."

나는 순간 다시 멋쩍어져서 이상한 얼굴이 되고 말았다.

"언니의 태어날 아이를 주려고 해요. 아, 저희 친언니는 아니고 사촌언니인데…"

뒤를 보니 할아버지가 어느새 일어나셔서 천을 이미 고르고 계셨다. 언니가 나의 어떤 언니인지는 조금도 중요하지 않다는 얼굴을 한 채.

"그리고 프릴을 달고 싶어요. 그거랑 어울리는 천을 사고 싶어요."

무뚝뚝한 할아버지는 천 원단 두개를 내 앞에 내려 놓았다.

하나는 연 핑크색 원단에 흰색의 자그마한 제비꽃 같은 모양이 무수히 새겨진 모양이었고, 또 다른 하나는 흰 원단에 오렌지 과일 그 자체가 그려져 있는 천이었다.

"아가씨가 이게 더 마음에 드나보네."

할머니의 손 끝이 핑크색 원단을 집고 있다. 내 시선이 계속 향하던 곳이다.

"이거 핑크색으로 할께요. 천은 요기 요정도면 될 것 같아요. 아기한테 줄꺼니까요."

"그래요. 5,000엔이에요."

순간 새악보다 비싸다고 생각했다. 원단이 원래 이렇게 비싼가? 원래라면 엄마에게 전화를 해서 원단을 사려고 나왔는데 가격이 5,000엔이다. 사도 될 정도의 가격인가를 물어보려고 했지만 왠지 그럴 수 없었다. 나는 할 수 없이 나의 용돈의 거금을 털어 원단을 사기로 했다.

제값을 주고 사니 핑크 원단에 들어갈 아기의 모습

이 상상이 되었다.

'잘 산것 같다.'

두 노부부는 나를 배웅 나오며 마지막으로 이렇게 말했다.

"아주 행복한 일이에요."

인터넷에서 치마를 만드는 법을 검색하고 또 검색하고 동영상을 찾아보며 박음질을 하는 동안 너무 행복했다.

'아이가 태어나면 꼭 입혀주면 좋겠다. 아주 예쁘겠지? 음… 물론 언니가 산 옷을 먼저 입혀야겠지. 그리고 나서라도 내가 만든 치마를 입혀주면 좋겠어.'

밤의 여왕과 함께 왈츠를 추며 완성했다. 치마를. 금세 완성했다.

'캬~~ 나의 이 집중력이란'

내일은 언니에게 가야겠다. 치마를 건네 주고 싶은 마음 뿐이다.

'아이가 입으면 예쁘겠지?'

'그리고, 언니도 기뻐하겠지?'

★

언니가 내온 차를 마시며 우리는 오랜만에 예전 언
니 집에서 키우던 영악한 회색 푸들의 이야기도 하며
웃었다. 오라고 하면 가고 가라고 하면 오는 아이인
데, 실은 말들의 의미를 정확하게 알고 그러는 것이
었다.

"언니!"

"응, 왜."

"내가 별건 아니고 선물 하나 가지고 왔는데, 마음
에 들련지 모르겠어, 아기꺼야."

"진짜? 뭔데 그래."

"짜짠. 이거 치만데 예쁘지 않아? 내가 직접 만든
거야. 천 사서."

순간 분위기가 삽시간에 음산해졌다.

음산해졌달까. 뭐랄까, 내가 수 년전 언니의 귀의

점을 보고 이야기를 꺼낸 순간과 같은 상황이 펼쳐진 것이다. 나는 이해할 수 없었다.

언니는 분명 고맙다고 선물을 받아 들었다. 받아 들기 전에 머뭇거리기는 했지만 말이다. 언니는 내게 몸이 너무 피곤해 온다고 미안하지만 돌아가라고 말했다.

아무래도 선물이 영 마음에 안 든 모양이다. 조금 비싸도 엄마와 합쳐서 조금 제대로 된 걸 가져왔어야 한다고 자책하며 돌아갔다.

내가 그렇게 실수를 했나. 다시 또 복잡 미묘한 감정들이 섞여 나타나기 시작했다.

'언니는 그냥 몸이 안 좋은 걸꺼야. 왜, 몸 호르몬에 변화가 일어난다고도 하잖아.'

애써 자신을 위로했다.

문득 울고 싶어졌다.

비는 그쳐 있었지만 전일 계속 내린 비의 탓에 물 웅덩이가 고여 있었다.

언니의 묘한 반응의 이유를 안 것은 시간이 꽤 흐

른 다음의 일이었다.

"너는 왜 쓸데 없는 짓을 해 가지고."

일을 마치고 들어온 엄마의 첫 마디였다.

"응? 무슨 소리야."

심장이 두근두근 뛰기 시작했다. 아버지가 돌아가신 트라우마라고 하면 아버지께 죄송하지만 나는 그일이 있은 뒤로 미괄식으로 이야기하는 사람이 있으면 광인이 될 것만 같이 불안해진다.

"아니, 사야 언니 말이야. 네가 직접 만든 치마를 줬다면서?"

"그래. 왜 그러냐고."

"병원에서 남자 애라던데 치마를… 세상에. 생각을 했어야지, 물어 봤어야지."

나를 제외한 가족들은 이미 다 알고 있는 모양새였다.

'아. 언니의 아이는 사내 아이구나.'

애써 만든 치마가 버림 받은 것 같아 눈물이 그렁

그렁 해졌다.

왜일까.

이 작은 일로 이렇게 마음이 아프고, 울먹하고 주저 앉다니. 왜 여자 아이라고 생각했을까. 그건 분명 부드러워서 그렇게 생각했을꺼야.

그래도 말야. 사람들의 반응을 살필 시간에 조금 더 생각 했어야 하는 것은, 아이인데.

그래.

사내 아이라면 다시 만들면 되잖아.

바지.

나는 다시 재봉틀 앞에 앉았다. 이번에는 받아주던 받아주지 않던 만들기로 한 것이다.

드르르륵 드르르륵

더 이상 아이가. 또는 아이에게 입어주고 입혀주고는 중요하지 않았다. 지금의 바지가랑이의 박음질이 더 중요했다. 그렇게 집중하고 있는 어느새 '좋은' 이모가 되어야 겠다는 생각도 사라졌다.

나는 그냥 이모야.

치카이모.

시키의 눈물

★

이삿짐을 실은 큰 트럭이 굉음을 내며 도로를 질주한다.

크어어억. 크어어억. 크어어억.

혹여나 또 사고가 날까봐 시키는 불안한 마음이 든다. 그리고는 주먹을 쥐려고 손에 힘을 쥐기 시작하다 잠에서 깨었다. 그러나 트럭은 여전히 큰 소리로 크어어억 소리를 일정한 간격으로 낸다. 오늘은 트럭이 이삿짐을 많이 실었나보다.

시키가 옆자리에 누워 굉음으로 코를 고시는 할머니의 팔을 흔든다.

"할무니."

할머니는 주무시다가 시키의 소리를 듣고는 으음

소리를 내며 금세 자세를 고쳐 누우신다. 할머니는 분명 얼마 지나지 않아 또 크어어억 코를 고실 것이다.

'할머니는 본인 소리를 듣고 깨지 않으시나?'

할머니는 줄창 그래왔다. 시키와 함께한 모든 나날 동안 변함없이 큰 소리로 코를 고신 것이다. 정말이지 올해 열 여섯의 시키는 할머니와 진작 따로 잤을 법도 한데 서로 깨우고 뒤척여가면서도 같이 자기를 고집하는 것이다.

그렇게 오늘도 시키는 새벽3시, 모두가 잠든 새벽에 일어난다. 이미 잠이 달아났고 할머니의 코소리가 오늘따라 심하셔서 일어나 활동이라도 하려 한다. 오늘 많이 피곤하셨던 게다.

살며시 덮고 있던 노오란 이불을 들추고 할머니 모르게 살금살금 나가려고 하는데 메리가 시키를 보고 꼬리를 친다. 잠시 잠에 들었는데 깨고 보니 주인 얼굴이 보여 금새 또 반가웠나보다. 메리는 누런색 시바견이다. 시바견이고, 노견이다. 시키는 나가려다 메리의 머리를 사랑스럽게 쓸어주었다.

냉장고에서 탄산수를 꺼내 마시려고 한다. 정수기에서 물을 따르면 '띵동' 소리가 나기 때문이다. 물은 냉장고를 열었을 때의 빛을 벗 삼아 따랐다. 물을 가지고 시키만의 작은 방으로 들어가려고 항상 가지고 있던 크레용 신쨩의 딤 라이트를 켜는데 불이 들어오지 않는다.

그 딤 라이트는 크레용 신쨩 캐릭터가 플라스틱 뚜껑 안에 들어가 있고 파란 색의 밑창에 달린 스위치를 옆으로 밀어 켜면 노오란 불빛이 환하게 플라스틱 뚜껑 안에서 흘러나와 밖을 어느정도 비춰주는 녀석이다.

불이 들어오지 않자, 시키는 마루의 티브이가 엎혀져 있는 서랍을 열어 건전지를 찾아 능숙하게 끼워 넣어 스위치를 켰다.

불이 들어오지 않는다.

시키는 이것을 정전처럼 일시적 현상으로 여겨, 다른 건전지를 넣어도 보았으나 소용이 없었다. 불이 안 켜지는 것이다.

'어떡하지?'

한동안 딤 라이트를 손에 쥐고, 마루를 서성이던 시키는 불현듯 이런 생각이 든다.

'어쩌면 수명이 다 했는지도 몰라. 이제는 더 볼 수 없는 거야. 끝 인거라고.'

불안이 슬픔으로 바뀌는 것은 삽시간의 일이었다. 부들부들 몸이 떨린다. 눈에서 굵은 눈물방울이 후두둑 두번 떨어졌다. 여전히 손에는 딤 라이트가 들려 있었다. 온 몸에서 기운이 빠져나가는 것 같다. 시키는 거실 한 켠, 서 있던 곳에 주저 앉아 마저 울기 시작했다.

시키가 울다가 코를 풀자 메리가 침대에서 뛰어내려 달려 온다. 메리가 내려오는 통에 할머니가 깨신 모양이나 할머니는 스윽 모르는 척을 하고 다시 주무시는 것 같았다.

시키가 우는 것이 어제 오늘 일이 아니고, 한 두번의 일이 아니었기 때문이다.

시키는 더욱 서럽게 운다. 메리는 그런 시키를 바라보며 살짝 고개를 갸우뚱한다.

알 리가 없다. 조금 거리가 있는 곳에 불편한 자세

47

로 앉아 있는 노견 메리를 보자 시키는 더욱 슬퍼진 다.

'다리도 아픈게 왜 또 따라 나와서 앉아있고 그래.'

애당초 개들이 일어나는 사건들의 원인을 모르는 것이 불쌍하다고 느꼈다. 그러면서도 충직하게 주인 옆을 지킨다. 어쩌면 그것은 그냥 그들이 불안해서 하는 행동인지도 몰랐다.

울음이 멎지 않자 메리가 다가와서 시키의 팔을 약 하게 건드린다. 정말이지

'왜 그래? 울지 마.'

하고 실컷 위로를 건네는 것 같았다.

딤 라이트는 시키의 고모. 그러니까 아빠와 4살 차 이 나는 여동생이 준 것이었다. 고모와 시키는 가까 운 사이였다. 아빠나 엄마가 외출을 할 때면 고모가 대신 와서 시키와 그림 놀음을 하기도 하고 피아노도 같이 쳤다.

고모는 시키에게 많은 것을 선물로 주었다. 시키가 좋아하는 강아지, 고양이, 돼지, 토끼, 돌고래, 거북이 등 없는 종의 인형이 없었다. 딱, 한가지. 고모가 싫

어하는 치킨만 빼고. 고모에게 시키가 받은 마지막의 선물은 그 크레용 신쨩 캐릭터의 딤 라이트였다.

'고모는 지금쯤 어디에서 무얼 하며 살고 있을까?'

이제는 만날 수 없게 된 고모에게 유감은 없었다. 그저 그 동안 받은 많은 것들을 추억하며 아껴 쓰고 있었을 뿐이다. 특히 딤 라이트는 불면증의 시키가 밤에 돌아다닐 때 유용하게 쓰였다. 배터리가 다 되면 새로운 건전지로 갈아 끼우기만 하면 되었다.

심지어 그것을 계속 키고 있지도 않았다. 그것은 단지 시키가 거실에서 방으로 이동할 때. 방에서 거실로 이동할 때 들고 쓰는 용도의 아껴 사용하는 불이었다.

할머니는 시키를 안타깝게 생각해 시키 곁을 지키며 그녀가 울게 될 때 천국 이야기나, 천사 이야기를 해 주었지만 지금은 아니다. 할머니도 그간 많이 노쇠하셨고 할머니의 앞 날을 생각해도 모자랄 시간에 시키가 계속 울어 대니 그저 답답하고 때로는 화도 났다.

어제도 시키는 울었다. 커피를 사러 가는 길이었다.

집에서는 그저 어두컴컴해서 비가 오나보다 생각해 우산을 가지고 나갔는데 바람이 너무 세게 부는 것이다. 150센치의 왜소한 체구를 가진 시키는 비닐 우산을 쥐고 어떻게든 목적을 달성하려고 했다.

그녀는 그 와중에 고집스럽게 집과는 조금 먼 커피점을 갔다. 집 바로 앞에도 커피점이 하나 있는데 쿠폰도 안 찍어주는 데다 50엔이 더 비싸기 때문이었다.

다행히도 커피 한 잔을 사는데 성공했다.

돌아가는 길에 부는 바람은 역풍 이었나 보다. 그녀를 향해 부는 바람이 더욱 거세게 느껴졌다. 시키는 몸을 움츠리며 바람과 사투를 벌이며 앞으로 전진했다.

그 순간이었다.

바람의 방향을 따라 우산이 뒤집어지면서 우산살이 두 개나 튀어나왔다.

파란 배경에 있는 곰돌이들이 뒤집혀져 하늘하늘 하는 것이 너무 마음 아팠고, 본인이 그렇게 노력했는데 바람이 자신의 편을 들어주지 않은 것 같아 분해서 시키는 울기 시작했다. 눈물을 훔치며 뒤집어진 우산을 가지고 앞으로 전진하는 동안 수 많은 사람들이 그녀를 쳐다봤다.

"엄마, 저 여자 울어!?"

아이들이 등교하다가 엄마 손을 붙잡으며 이야기했다. 엄마들은 머리카락을 휘날리며 우산을 고치지 않은 채 커피를 들고 눈물을 훔치는 시키가 미친 여자라고 생각해서 본능적으로 아이를 도로 안쪽으로 굽혔다.

집에 돌아와서도 시키는 울음이 가시지 않았다.

아마,

무엇이든 끝이 난다는 것이 무섭고 증오스러웠을 터였다.

★

끝은 언제나 그렇듯 불현듯 찾아오고 모습은 너무나 허망하고 초라한 법이다.

시키가 소학교 3학년 때. 할머니는 엄마와 아빠가 같이 천국에 갔다고 했다. 할머니가 정신을 잃고 쓰러지지 않은 것은 오로지 작은 아이, 시키 때문이었다. 그러나 시키는 그 의미를 알 수 있었다. 곧 주위 사람의 말을 듣고 큰 교통사고가 난 것을 알게 되었다.

장례를 치를 때 시키는,

'내가 주인공이라면 이 식은 분명 결혼식이어야 될 텐데.'

라고 생각할 정도로 모든 것을 다 아는 나이였다.

검은 옷의 친지들이 왔다. 불교식 장례에 모두 고개를 숙였지만 곧 시키를 보며,

'어린애가 안타깝다.'

'저 어린 것이 불쌍하다.'

는 눈매를 했고 시키는 그 눈들을 잊을 수 없었다. 고마워야 하는데 증오스러웠다. 억울했다. 그리고 화가 났다. 나란히 놓여 있는 엄마와 아빠의 유골함을 보고 눈물이 쏙 들어갔다.

시키는 절대 울지 않는 아이가 되었다.

그 사건이 있고 나서, 할머니가 시키를 데려갈 때 부양 명목의 상속 돈 때문에 충돌이 생겨 고모라는 존재를 영영 잃어버렸을 때도. 친구들이 수군대며 시키의 이름이 웃기다고 비웃음을 웃을 때도 시키는 미동하지 않았다.

시키는 마치 물고기가 많은 어항 안의 상처 입은 한 마리의 금붕어였다. 어류는 상처 입은 동족의 피를 보면 상처부위를 지독하게 파고들어 마침내는 살갗이 전부 벗겨져 뼈가 드러나 죽음에 이르를 때 까지 파 먹는다. 어릴 적 그렇게 잔혹하게 타계한 아이를 본 시키는 충격을 먹은 적이 있었지만, 곧 자신도 그런 처지가 될 줄은 꿈에도 몰랐다.

시키 본인도 '사계절'을 뜻하는 그 이름을 좋아하는 것은 아니었으나, 사고가 너무 갑작스럽게 닥치는 바람에 유서 한 장 없이 떠난 부모님이 시키에게 남긴 이름이므로 그것이 꼭 유품처럼 느껴지는 것이었다.

시키(四季).

부모님은 결혼 한 뒤에도 아이가 생기지 않아 시험관을 비롯한 여러 시술 끝에 어렵게 시키를 얻었다. 부모님은 언제 보나 무얼 하나 시키가 제일 사랑스러

웠다. 그래서 언제 보아도 예쁜 아이라고 이름을 '사
계'로 지은 것이다. 친구들이 시키의 이름을 가지고
놀릴 때 시키는 본인의 부모님이 모독 당하는 기분이
었다.

할머니의 말 대로라면 그들은 사후에 우선 연옥에
가서 죄값을 치른 뒤 회개하면 주님이 있는 천국에
도달할 것이었으나, 시키는 그들이 지옥불에 떨어지
면 좋겠다고 생각했다.

해서는 안되는 말이라는 것이 있고, 이런 것은 '실
언'이 아니라 고의성이 다분한 언사로서 까짓 학급
내의 본인의 유명세를 위해 고의로 그런 말을 했다면
지옥에 못 갈 이유도 없다고 생각했다.

그때라도 시키가 울었어야 했다.

뒤에서 같은 이야기를 지껄이더라도 어쩌면 어른들
의 눈치를 봐서 시키 면전에서 그런 이야기를 하지는
않게 되었을 지도 모른다.

10살의 아이에게는 감당하기 힘든 일이었다. 모든
게 너무도 감당하기 어려워서 시키는 모든 것에 마음
의 문을 닫았다. 누구도 믿지 않았고, 약한 모습을 앞에서 보이지 않았다. 장수의 죽음은 다른 성주에게 비밀이었듯이. 비록 무로마치 시대는 아니었으나 시키에게는, 눈물을 보이는 것이 곧 죽음이자 할복의 이유였다.

단지 어른이 보이는 데에서 그런 이야기를 덜 듣는다고 해결될 문제가 아니었다.

친구들은 시간이 지날수록 대놓고 시키의 흉을 보기 시작한다. 시키가 들리게 한 자신들의 뒷담화에 반응이 없었고, 게다가 책을 펴고 공부를 하고 있는 모습에 약이 올랐다. 부모님도 없겠다 좀 괴롭히고 싶은 마음도 들었다.

그들은 생각했다.

'시키는 왜 그렇게 경직 되서 반응도 없을까? 정말 얄밉다.'

자신들이 천으로 만들어졌다면, 시키는 밤에 우동을 끓여 먹는 냄비 소재의 스테인레스 쯤으로 만들어진 것 같다. 뭔가 그들의 재료와, 시키의 구성재료는 다르다. 강하고 물에 안 젖으며, 얼룩이 잘 생기지 않고 스스로를 아주 잘 보호하고 있다.

고헤이는 어느 날 시키를 보고,

"너 부모님 장례식 때도 안 울었다며? 태어날 때는 울었냐?"

하고 놀렸다. 시키는 감정 스위치를 이미 off로 해둔 상태였지만 깊은 상처를 받았다. 주위 어른에게 이야기 해서 중재를 받아야 할 사안이었지만 시키는 이소룡이 삼림에서 수련하듯이 계속 참았다. 사실은 그 아이에게 덤볐을 때 되돌아오는 반동의 영향을 견딜 자신이 없었던 것이다.

'할머니에게 이야기 하면 할머니가 죽여버린다고 학교를 찾아 오실텐데…'

시키는 걱정이 되어 이르지 않았다. 그녀의 걱정은 고헤이가 할머니 손에 죽을까봐가 아니라 담임 선생님이, 고헤이의 부모님이 학부모 위원회 위원장이란 이유로 내 편을 들어주지 않을 거라는 사실에 충격을 받아 어떻게 되실까봐 였다.

새빨간 스카프를 두른 풍속점 여직원 같은 그 여자를, 시키는 처음부터 믿지 않았다.

사람들은 몰랐다. 시키가 울지 않는 이유를. 그저,

"왜 저 아이는 눈물이 말라버렸나?"

하고 이상하게 여기다 그만 핸드폰의 연예인 결혼 기사를 보고 '싫어요'를 한 번 누르고는, 연예인도, 시키도 잊어버리는 것이다. 시키에게는 어찌 돼도 좋았다. 중요한 것은,

절대, 남 앞에서 눈물을 보여서는 안 된다는 것이었다. 절대.

시간은 늘 그렇듯 곧잘 흘렀다. 시간은 시키를 태우고 그녀를 고등학생으로 만들어 주었다. 시간이 약이라고 하는데 시키의 마음은 치유되지 않은 상태였다. 그러나 아무도 몰랐다. 시키가 남들 앞에서는 물론 혼자 있는 시간에도 눈물을 보이지 않았기 때문이다.

주위가 어둑어둑 해지는 시간은 일본 시간 7시 무렵이다. 7시를 넘기면 밖은 급속도로 어두워져 이내 캄캄해 지고 만다. 저녁7시와 8시 사이의 짧은 마법이랄까. 작은 책상 앞에 앉으려고 의자를 꺼내다 문득 창 밖을 보니, 새 하얀 달이 떠 있다.

'까만 밤에 새하얀 달 이라니. 밤하늘이 드디어 눈을 떴구나! 혹시 밤 하늘에 구멍이 뚫렸나?'

시키는 어렸을 적 티브이 '세계의 명작 영화'에서 본 'Reality Show'가 생각났다. 결혼해서 평범하게 일상을 살아가던 남자가 옛날 진심으로 사랑을 나누었던 여자가 준 힌트로 자신의 모든 일상이 감시당하고 있었으며, 전 세계에 모습이 생중계 되고 있다는 것을 깨닫는 내용이었다.

주인공 토로토 씨가 마지막에 세상 밖으로 뛰쳐 나가려고 배를 탔을 때 하늘이 진정한 하늘이 아니고 그저 누가 붙인 배경이라는 것을 바라보는 장면이 있는데, 오늘의 밤 하늘이 꼭 그랬다.

'저건 어쩌면 바깥의 진짜 세상으로 나갈 수 있는 문 인지도 몰라. 나 혼자는 무리인데, 누가 나에게도 힌트 좀 주면 좋겠다.'

시키는 의자를 도로 꺼내 앉아 역사 책을 폈다. 근현대사 중에서도 유키치 선생님의 문명개화론을 읽기 시작한다.

'유키치 선생님이 근현대에 살았으면 분명 혼마 무

네히사 같은 훌륭한 비즈니스 맨 이었을텐데.'

'아니면 토람푸트처럼 장사쟁이 던지.'

모두가 존경하는 인물을 상상으로 조롱하니 '푸흡' 하고 웃음이 나왔다. 유키치 선생님은 학교도 설립하셨는데 그게 미타에 있는 게이오 대학이다. 시키도 한 번 가 본 적이 있다. 엄마와 함께. 미타는 굉장히 넓었고 캠퍼스 안에는 후쿠자와 유키치 동상도 있었다.

"시키야~ 사진 찍어줄께. 앞에 한 번 서 볼래?"

"알았어."

시키는 못 이기는 척 엄마의 말을 듣고 설 자리를 찾았다. 그 때도 유키치 선생님의 주위로 둘러쳐져 있는 돌계단은 밟지 않았다.

너무 많은 사람들이 지나다닌다. 그들은 아마도 게이오 대학의 대학생들일 것이다. 학생들은 지나다니면서 유키치 선생님 앞에 서 있는 시키를 남의 나라에서 온 이방인 보듯이 쳐다보았다. 시선이 신경 쓰여 시키는 치즈의 의미로 V자를 그릴 수 없었다. 경직된 팔을 왜소한 몸에 딱 붙인 채 웃음기 없이 엄마를 쳐다보았다.

사고가 나기 얼마 불과 전의 일이었다.

시키는 근현대사 책을 덮고 무언가 생각이라도 난 듯이 자리에서 일어났다.

"그게…어딨지?"

시키는 다자이 오사무의 소설들과 근현대 역사 도서 여러권이 꽂혀 있는 책장으로 향해 닥치는 대로 책을 빼기 시작한다. 책을 빼다가 갑자기 신경질이 나기 시작한다.

"아이씨. 여기 있어야 되는데 어딨는거야!"

시키는 할머니에게 날카로운 말투로 묻는다.

"할머니!"

"어어?"

"내 사진첩 어딨어? 또 내 책장 건드렸어?"

"그래. 건드렸다. 건드리는게 싫으면 책이라도 가지런히 꽂던지."

시키는 되려 세게 나오는 할머니가 너무 미웠다.

할머니는 말씀은 그렇게 하셨지만 곧이어 시키와 함께 사진첩을 찾으러 방에 가 주셨다.

시키가 찾던 사진첩은 거의 원래 있던 자리에 꽂혀 있었다. 한 번 꺼내 본 것을 위에 얹어 놓는 습관이 있는데 할머니가 바로 책꽂이에 꽂기라도 하면 못 찾게 되는 것이다. 이런 일이 종종 있다보니 할머니도. 시키도 서로에게 짜증이 났다.

어렵게 찾은 사진첩을 가슴에 꼭 쥐고는 고맙다는 말도 없이 할머니를 방에서 내보냈다. 그리고는 유키치 선생님 동상 앞에서 찍은 자신의 사진을 찾기 시작한다.

아주 조심스럽게 사진첩을 넘겼다. 사진첩에는 아주 많은 사진이 있었다.

조금만 더 페이지를 뒤로 넘기면 웃지 않는 시키가 게이오 대학에서 찍은 사진이 기다리고 있었다. 시키는 무척 슬픈 마음이 되었다. 예상 밖의 일이 아니었다.

"이 정도면 됐어."

★

혼자 있을 때 정도 울어도 되는 것 아니었을까?

사실 할머니는 울지 않는 시키를 보며 만감이 교차했다.

할머니도 처음에는, 애가 어른들 앞에서 울지도 않고, 참으려 한다고 생각해 그저 너무 안타깝게 여기다가 시간이 흘러 계절이 몇 십번을 돌아 시키가 고등학생이 되었는데도 시키가 얼음 같이 차갑게 감정 표현을 하지 않자 할머니도 서서히 지쳐갔다. 너무 충격이 커서 당연히 그럴 수 있다고 무조건 시키를 보호하던 할머니도 조금씩 시키에게 증오 같은 거무튀튀한 감정이 들기 시작한 것이다.

자신의 딸이기도 한데.

'어쩌면 시키는 아무 감정이 들지 않을 수 있을까. 과연 인간이 그럴 수 있을까?'

할머니는 그렇게 생각하며 원래부터 잘못 만들어진 인형을 보는 눈빛으로 자는 시키의 머리맡에 손을 올리며 주님을 불렀다.

"주님. 이 작은 아이에게 왜 이런 시련을 주십니까. 얘 좀 보세요. 고장이 났잖아요. 제 애미 애비가 그리

됐는데…"

할머니는 무조건 시키를 지켜야 했다. 시키에게는 할머니 말고는 보호자가 없기 때문이다. 시키가 울지 않으니, 원래 울지 않으며 끝까지 시키를 지키려 했던 할머니가 돌연 울음이 터졌다.

할머니 두 눈에서 굵은 방울이 후두둑 떨어졌다. 머지않아 할머니의 코가 막히고, 할머니는 흐으응! 하고 막힌 코를 풀어 휴지를 버렸다.

시키는 외부의 공격으로부터 자신을 보호하려고 필사적으로 방어기제를 세웠다. 그 방어기제는 시키가 의도해서 쌓은 것도 있지만, 인간이 신체 공격을 당할 때 올라오는 가드 같이 의도치 않게 올라온 방어기제 였다.

따뜻하지 않은 주위의 사람들. 자신을 계속 공격해 오는 사람들에게 약한 모습을 보이면 정말 끝이라고 생각했다. 이기고 싶어서가 아니었다. 그녀에게 매일은 살아남기 위한 서바이벌의 영화 한 편이었던 것이다. 자신이 죽을 때 적군이, 자신들이 원하는 바를 이

뤘다며 입술에 자신이 흘린 내장의 피를 묻히며 비린 내 나는 웃음을 웃지 않도록. 그 날의 사고가 자신의 잘못이 아니었음을 증명하려고. 잘못이 없이 하늘나라로 간 부모님이 일편 증오스러워서. 애도를 하기 싫어서. 자신의 삶은 울어야 할 정도로 비참하지 않다고.

시키는 바득바득 울지 않았다. 시키가 고등학생이 되고, 다들 공부에 매진하느라 미처 시키를 괴롭힐 시간이 없어져 이지메가 없어졌을 때도 말이다. 그렇게 자신의 감정을 억누르고 살려고 하니 신기하게도 정말 감정이 억눌러졌다. 공감능력도 떨어지고, 감수성도 무뎌 졌다. 계단을 내려갈 때 무릎이 안 좋아서 걸음을 천천히 늦추시는 할머니의 걸음걸이도 기다려 주시 잃았나.

이것이 시키의 나름의 전략이었다면. 어쩌면 성공인지도 모르는 일이었다.

길을 걷다 이자카야와 인도에서 온 칸 아저씨가 직접 운영하는 카레 가게에 미세한 틈이 벌어져 있는 것을 발견했다. 항상 있던 두 가게인데 평생 발견할 줄을 몰랐다. 시키가 틈새를 발견한 것일까, 틈새가 시키를 찾아온 것일까? 어찌 되던 조금 늦은 감이 있었다.

'이건 뭐지?'

그 틈이 본인의 필통이라면 아마 확 열어 젖혔을 것인데 이 길도, 틈도 누군가의 소유일 터이니 그렇게 과격하게 열어 젖힐 수는 없었다. 인도 카레 집을 지나가는 사람 마냥 걸음을 걸으며, 하지만 속도는 조금 늦추고 그 틈새를 살짝 훔쳐 보았다. 아무래도 안쪽으로 길이 이어져 있는 것 같았다. 지나칠 뻔 할 발걸음을 뒤로 돌려 길 안으로 걸어 들어가야 겠다고 생각한다.

시키는 마치 자신의 의지로 걸어 들어가는 것이 아니라 바람에 날려 빨려 들어가듯이 두 가게 사이의 틈새에 난 골목길을 걷기 시작한다. 아스팔트가 울퉁불퉁하다. 유의해서 걷지 않으면 넘어지겠다고 생각하는 순간,

시키는 올라온 아스팔트에 발이 걸려 중심을 잃고 앞으로 넘어진다.

온도가 없는 손이 넘어지는 시키를 잡아 올린다. 그 손은 강인했고, 따뜻했다. 분명 시키 집의 체온계로는 잴 수 없는 온도였지만 시키는 사람의 온도를 느껴 손의 주인공을 쳐다보았다. 그 존재는 분명히 따사로운 웃음을 웃고 있었다. 그렇지만 아무리 노력해도 그 존재의 얼굴 형체를 확인 할 수 없었다.

얼굴의 정체를 숨겨 인생을 또 한번 미궁속으로 집어 넣은 신은 우스꽝스럽게도 그들을 길 끝의 모서리에 있는 돈까스 가게로 인도한다. 길을 끝까지 걷는 선택을 한다면, 무조건 발견하는 집이었고, 그 하나였다. 둘은 암묵적으로 돈까스를 먹기로 하고 가게 안으로 들어간다.

메뉴에는 두가지 밖에 없었다.

돈까스. 그리고 맥주.

해는 아직도 중천에 떠 있었고, 방금 걸은 아스팔트는 더 뜨겁게 달구어지고 있을 것이었다. 그래서 둘은 물을 달라고 한다. 시키가 아직 고등학생이어서 술을 주문하지 않은 것은 아니었다.

얼굴이 없는 그 존재는 시키에게 자신은 배가 부르

다며 새 젓가락을 꺼내 끝이 아닌 중간에 놓여 있는 길다란 돈까스 조각 세 개를 시키의 접시에 조심스럽게 놓아준다.

시키는 그 존재가 아빠라고 생각한다. 가끔 가족 셋이 돈까스를 먹을 때면 아빠는 항상 중간의 길다란 돈까스를 시키에게 주었다. 시키가 끝에 있는 커다랗고 까끌까끌한 돈까스를 선호하지 않기 때문이었다.

시키는 반가운 마음이 들었다. 그래서 평소에 아빠한테 떠들듯이 아무 이야기나 지껄이기 시작한다. 고래 고기인 줄 알고 먹었는데 사실은 비늘이 달린 생선이었다는 둥 언젠가 반드시 잠자리 채로 날아가는 비둘기를 낚아 집의 케이지에서 기르겠다는 둥.

높은 확률로 시키의 아빠인 존재는 시키를 가만히 들여다보다가 살짝 웃으며 머리를 쓰다듬어줬다. 시키의 청춘영화의 색보다 더 찰랑거리는 단발머리가 빛났다. 시키가 기억하는 거의 모든 순간에 없던 아빠는 이런 모습으로 시키 곁에 있었던 걸까?

그 존재가 일어서면서 이야기한다.

"사라다 좀 더 떠 올께."

시키는 순간 무척 슬픈 마음이 되었다.

'어쩌면 그 존재는 돌아오지 않을 지도 몰라.'

죽기 전이 되면 인간은 물론 동물까지도 그것을 느낀다고 했다. 마지막이라는 것은 늘 그렇듯 허망하고 돌연 찾아온다. 이것이 그 존재와는 마지막인 것 같다고 느낀 시키는, 가버리는 존재에게 잠긴 목소리로 나즈막하게 말했다.

"잘 가."

그 존재가 가 버린 후에도 시키는 한동안 제자리에서 그 존재를 기다렸지만 예상대로 오지 않았다.

시키는 제자리에서 울기 시작했다. 그가 사라다를 떠서 하나는 시키를 주고 하나는 본인이 먹는 상상을 했다. 상상은 시키를 더욱 자극하고 가슴을 후벼 팔 뿐이었다.

항상 그런 식이었다. 꿈에 부모님이 나오면 꼭 보내주는 것으로 끝이 난다. 제자리에서 엄마가. 아빠가 가버린 뒤 기다리는 것은 정말 공허해서 설명조차 할 수 없다. 아마 그 존재가 사라다가 아니라 가 봐야 된다고 했으면 시키는 울며불며 보내지 않았을 것이다.

그래서 였을까.

울음이 조금 잦아 들자 눈이 떠지고, 카레 집도, 돈까스 집도, 그리고 그 존재도 사라지고 베개에 눈물만이 흥건했다.

두 눈에서 아직도 눈물 방울이 조르르륵 흐르고 있었다. 얼마만의 울음이었을까. 슬퍼서 울었지만 슬펐다는 것이 이유의 전부는 아니었다.

안전하다는 느낌을 처음으로 받은 것이다.

"울어도 괜찮아. 그리고, 엄마도, 아빠도 이 세상에 없지만 항상 사랑해. 사계절. 시키를."

이렇게 말해주는 것 같았다. 넘어질 때 잡아준 손의 온기를 꼭 기억해야 겠다고 생각하며 눈물을 훔치고 일어나 목소리와 머리를 조금 가다듬고 할머니께 밝게 인사를 드렸다.

"안녕히 주무셨어요."

그 꿈을 꾸고 난 뒤로 시키는 드디어 사람들 앞에서도 울음을 울기 시작했다.

할머니도 처음에는 그런 시키가 너무 반가웠다.

'드디어 감정을 표현 할 줄 알게 되었구나.'

'이 아이도 여린 감정이 있었구나.'

'그동안 혹시 나 때문에 울음을 참았나?'

할머니는 여러모로 시키에 대해 고맙고 미안하게 생각했다.

그러나, 문제가 있었다.

시키가 하루 세번 사람이 밥을 먹듯이 우는 것이었다.

메리가 발이 미끌어지지 않도록 깔아 놓은 매트리스를 들어 올리고 청소기를 돌리는 동안 시키는 거실의 밥을 먹는 탁상에서 그림을 그리고 있었다. 지우개 가루가 나오니 그림은 방 안에서 그리라는 할머니에게, 색연필 그림을 그리고 지우개를 쓰지 않을 테니 거실에서 하겠다고 고집을 부린 것이었다.

시키는 색연필 그림을 그리다 색이 살짝 번져 지우

개를 할머니 몰래 쓰려고 들어올렸다.

"시키야!!"

할머니가 큰 소리로 시키를 불렀다.

"악"

그 순간 놀란 시키는 자신이 쓰던 오렌지 색깔의 색연필을 바닥에 떨어뜨리고 말았고 그 색연필의 끝, 오렌지 색깔 부분이 부러지고 말았다. 뿐만 아니라 중간도 부러져 반 토막이 났다.

할머니는 시키가 죄송하다거나 앞으로는 지우개를 쓰지 않겠다고 이야기 하기를 기다렸으나 시키는 부러진 색연필을 주우면서 눈물을 뚝뚝 흘렸다. 처음에는 눈물 방울을 보이다가 나중에는 소리를 내어 울기 시작했다.

억울해서 우는 건지. 화가 나서 우는 건지. 부러진 색연필이 불쌍해서 우는 건지는 아무도 모른다. 시키 자신도 모르는 일이었다. 눈물 방울은 야속하게도

"흥! 그런 이유 따위 어찌 되도 좋아. 나는 어쨌든 울거야."

라며 점점. 점점 심하게 울었다. 그 울음 소리가 너무 격해서 아예 곡 소리처럼 들렸다. 할머니는 혼을 내야 되는데 당혹스럽기 그지 없었다. 가엽고 여린 손녀가 어느 날부터 울기 시작하더니 그 울음이 멈추지 않아서.

시키는 그간 참았던 울음의 양 만큼을 지금 우는 것일까? 이 울음이 멈추는 날이 올까?

아무도 모르는 일이라는 것이 모두가 답답한 이유였다.

시키의 울음은 처음에는 부모님의 상실에서 기인한 당연하고 자연스러운 슬픈 감정이라고 생각했으나 점차 본인도. 그녀의 눈물방울도 이유를 상실하고 있었다. 어떨 때는 시키가 어리광을 넘어서 악을 쓰는 것처럼도 보였다. 정체성을 잃어버린 울음은 악보면의 크레셴도 처럼 그만의 목소리를 높여가고 있었다. 내란으로 국적을 잃고 망명하는 떠돌이 집시처럼 울음은 제자리를 찾지 못하고 시키 안에서 맴맴 돌았다.

정확히 말하자면 시키 안에는 이미 물이 90프로로 차있다. 찰랑찰랑거리는 해면에서 조금만 자극이 되는 물이 더해진다면 흘러 넘치고 마는 셈이다. 엄마 아빠의 사고 후 머지 않아 데려온 강아지 메리는 시바견 답게 덩치가 산만 해졌다. 메리는 영어 이름인데 마리 퀴리의 영문자를 쓰지 않고 메리 크리스마스의 메리 자를 쓴다.

조금이나마 행복해지고 싶었던 시키의 바램이 들어가 있는 강아지는 그렇게 무럭무럭 자랐다. 메리는 시키가 우는 날이면 옆에서 그렇게 앞발로 시키의 팔을 건드렸다. 시키가 울음을 멈추지 않으면 할머니에게 다가가 짖기도 했다.

메리는 어쩌면 울음을 달랠 힘이, 본인의 소근육처럼 없어져 가는 할머니 대신 아파하고 같이 불안해해준 걸지도 몰랐다.

눈이 내리지 않는 가고시마 열도에 눈이 내린다. 눈은 소복소복도 아니고 펑펑 내렸다. 어디를 나가기에 매우 적합하지 않은 날씨였다. 가끔 화산재가 날리는 이 마을에 눈이 찾아 온 것은 기묘한 일이었다.

시키는 아주 오랜만에 눈을 볼 수 있어 기쁜 마음이 들었지만 한 편으로는 몸을 사려야 겠다고 생각했다. 아주 예전부터 안 좋은 일이 일어날라 치면 이렇게 묘한 일이 앞서서 일어나기 때문이었다. 신은 왜 이런 복잡한 이중구조를 만든 걸까. 일종의 복선인가?

고등학교 2학년이나 된 시키는 공부를 하는 대신 집에서 또 그림을 그려야겠다고 수채화 붓을 들고 나르던 때 할머니가 시키에게 조심스럽게 말을 건넸다.

"시키야? 반찬가게 이시가미 아줌마 알지. 아줌마의 어머니가 돌아 가셨대. 시키 넌 집에 있을래?"

"나도 같이 갈래."

이시가미 아줌마라면 아주 잘 아는 신뢰할 수 있는 어른이었다. 시키의 사정을 알고 있는 아줌마는 시키를 가엽게 여기는 대신 남는 반찬인데 혹시 먹겠느냐며 고구마 사라다를 한 개 더 챙겨주는 그런 어른이었다.

할머니가 장을 보러 갈 때, 항상 따라가지는 않았지만 시키는 아줌마와 짧은 대화를 하거나, 가끔 본인이 먹고 싶은 저녁 반찬을 고를 수 있어 따라가곤 했다. 시키에게는 소중한 어른이 힘든 일을 당했으니 시키는 본인도 당연히 얼굴을 비추고 싶다는 마음이 들었다. 정말 그 마음 뿐이었다.

검은 옷을 입은 사람들이 이시가미 자택에 모여들었다. 시키도 할머니의 손을 꼭 붙잡고 영전 앞에 섰다. 사람들이 다 모이고 스님이 뼈를 줍기 시작했다.

"어떻게 하면 좋아."

모두가 조용히 스님이 뼈를 줍는 것을 바라볼 때 시키가 울음을 참지 못하고 흐느껴 울기 시작했다. 참아야 한다고 본인에게 계속 되내었으나 역효과였다. 할머니는 급히 시키를 자택 밖으로 데리고 나와 크게 꾸중했다.

"너 이게 지금 무슨 짓이냐. 조용히 고인을 보내드리는 자리에서 네가 왜 울어!"

사람들이 하나 둘 시키와 할머니를 쳐다보기 시작한다. 어떤 사람은 이시가미 아줌마에게,

"따님 되는 분 입니까?"

라고 물었고, 아줌마는 조용히 고개만 저었다. 그렇게 슬퍼서 우는 정도라면 아마 외할머니와 각별한 추억이 있는 손녀 쯤으로 여긴 것이며, 그렇다고 해도

묵념을 하는 자리에서 그렇게 감정을 숨기지 못하다니 조금은 불쾌히 여긴 것이다.

할머니는 시키를 꾸짖은 자리에 덩그러니 남겨주고 식장에 들어가 이시가미 아줌마에게 머리를 숙여 사과했다.

"정말 죄송합니다. 먼저 가 보아야 할 것 같아요. 폐만 끼쳐 정말 죄송합니다."

이시가미 아줌마는 짧막하게 괜찮다고 이야기했다.

이 작은 마을에서 그런 일이 있었으니, 반찬가게를 더 가기도 미안하고 사람들의 수군거림도 다소는 견뎌야 할 것이다.

"내가… 이시가미 아줌마의 마지막을 망친 것 같아."

라고 나지막이 중얼거렸다.

본인의 마지막이던, 사랑하던 다른 이의 마지막이던. 마지막이 아니던. 담담하게 맞이하고 싶은 사람들이 있는 것이다. 그 사람들은 그 순간을 소중히 간직하며 기억할 것이고 가져갈 것인데 그곳에 본인이 나타나 색을 칠하면 안 되겠다고 생각했다.

이시가미 아줌마가 담담히 어머니와 작별 인사를 할 시간을 빼앗은 것에 대해 경솔함에 대한 사과의 마음을 가슴에 품었다.

★

메리가 이상하다. 이름을 불러도 안 오더니 산책도 나가기 싫어하고 밥도 거부한다. 메리가 딤 라이트처럼 수명을 다 한 것 같다고 생각했다.

'같이 하는 순간이 있으면 꼭 헤어지는 순간이 와.'

그래도 엄마 아빠처럼 그렇게 갑자기는 아니었다.

곧 메리가 거실에서 쓰러졌다. 옆으로 누워서 헥헥대며 숨을 쉬고 있었다. 호흡이 가빠보였다. 이 뱉고 있는 숨이 점점 더 옅어지겠지… 할머니는 눈물을 보이며 휴지로 연신 닦아내고 계셨다. 누구라도 울지 않고 강인하게 메리의 죽음을 지켜주면 좋겠다고 생각했다.

그 여리고 울음 많은 시키가 덜덜 떨리는 메리의 앞 다리를 흔들림 없이 붙잡았다.

"메리야. 우리 가족이 되어줘서 정말 고마워. 많이 잘해주지 못했지만 좋은 기억만 가져가렴. 그리고 우리 다시 만나자."

메리는 공허하게 하늘을 보고 있었다. 본인의 죽음을 온 몸으로 느끼는 듯 했다.

메리가 마지막 숨을 내뱉고도 시키는 빠알간. 그러나 울지 않는 눈으로 메리의 다리를 붙잡고 있었다. 체온이 하강하는 것을 느끼면서. 온몸이 뜨겁고, 아주 슬펐다. 울더라도 끝은 강인하게 지켜주겠다는 약속을 아마. 지킨것 같다.

'메리는 내가 울면 불안해 해.'

시키는 메리의 머리를 쓰다듬어 주었다.

'수고했어.'

그 순간이었다.

하늘에서 천사들이 내려왔다.

천사들은 메리를 아주 소중히 같이 들어 올려 하늘로 올라가고 있었다. 메리를 아주 좋은 곳으로 데려가고 있는 것이었다.

메리의 모습을 한 없이 바라보고 있는데, 그 중 한 천사가 따수운 웃음을 지어주며 시키의 머리도 사랑스러운 듯이 몇 차례 쓰다듬어 주었다.

Fly me to heaven

★

아침 아홉시 사십분. 위 아래로 잠긴 학원 문을 각기 다른 열쇠로 연다. 열쇠는 주머니에 넣고 비밀번호를 누른다. '삐레삐레삐리삐두루' 엘리제를 위하여의 음이 기계음으로 나오고 문이 열린다. 학원을 들어가니 커피머신의 커피 원두는 바닥을 보이고 있고 아이들이 집어먹는 사탕도 하나도 없다. 마감은 정규직인 치즈루 선생에게 맡기는데 주위의 것이 눈에 안 들어오는지 치워 놓으라 해도 부모님 잔소리 정도로 여긴다.

예술 고등학교와 T대학 음대를 나온 치즈루 선생은 대학을 졸업한지 얼마 되지도 않은 갓난 사회인이어서,

'이제부터 배우면 되겠지'

80

하는 생각으로 배울 시간을 충분히 주며

'커피 다 떨어지면 채워라, 화분에 물 좀 줘라, 사탕도 애들 오기 전에 채워 놔라, 악보 필요한 것 미리 리스트를 달라…'

이런 이야기를 해도 내가 고운 말로 해서 그런지 귓등으로 듣는다. 잔소리는 곱게 하는 말은 아닌가 보다.

3시부터 마감인 10시까지 일하는 치즈루 선생은 정규직으로 뽑아서 타 학원 보다 페이를 1~2만엔이나 더 주고 있다. 사람은 제 값을 주고 사야지 싸게 사면 돈 받는 만큼 싸게 일한다는 인식 때문에 되도록 후하게 쳐준 것이다. 그런 마음을 아는지 모르는지 영 태도가 실망스럽다.

곧 열시가 될 것이고 리나씨의 레슨이 시작 될텐데 치즈루 선생은 오지 않는다. 리나씨는 샵과 플랫의 차이도 모르는 초보였는데 매일 성실히 과제를 해와 벌써 체르니100을 들어간다. 그런 성실한 학생을 어쩌다 치즈루가 맡게 되어 안타깝다.

학원은 네 명이서 운영하는 아주 작은 곳이다. 카

운터를 봐주는 담당 직원 미치코는 항상 거기 앉아 있고 나는 레슨을 하며 빈 시간에 같이 카운터를 지킨다. 치즈루 선생은 정규직 강사여서 레슨과 마감 정리를 담당한다. 최근 레슨이 늘어서 더 뽑은 아키히토는 프리랜서로 일하는 강사이다. 레슨이 잡힌 날에만 가끔 나와서 실질적으로 일하는 사람은 치즈루와 미치코, 그 둘이다.

치즈루는 열시 삼분 전에 도착해 나에게 인사를 하고 정수기에서 물을 따라 마신다. 적어도 15분 전에는 와서 어디까지 진도를 나갔는지, 필요한 악보는 있는지 나와 상의를 해야 하는데 제 시간에 온 것이다. 제 시간에 왔다는 것은 내 개념으로는 늦은 것이다.

'내가 너무 엄격하게 보는 건가?'

아니다. 원장인 나야 그렇다 쳐도 학생들은 선생의 그 미세한 태도 차이를 온몸으로 느낀다. 한 때 일한 선생 중에서 자꾸 시계를 본다고 컴플레인이 들어온 적도 있었다. 그 사람은 이제는 퇴사했지만 나에게는 좋은 기억으로 남아있지 않다. 물론 시간을 보며 나갈 곡의 순서를 정하는 것은 중요하다. 하지만 지나

치게 시계만 보는 것은 실례가 아닌가. 그들 부모도 아니고 귀하게 자란 아가씨들 일텐데 20대 선생들의 태도 교육을 시킬 수도 없는 노릇이라 답답하다.

★

치즈루 선생의 태도도 실망스럽고 학원 운영이 가끔 적자가 날 때도 있지만 그래도 이 작은 곳을 열어 다행이라고 여기는 것은 미나가 있기 때문이다.

미나도 이곳에 배우러 오는 초등학교 2학년 학생인데 재능이 출중하다. 1년전부터 다니기 시작한 미나는 처음에 악보 보는 법도, 계이름도 몰라서 바이엘과 하농부터 시작했다. 계이름과 박자는 익혔지만 아직도 미나는 악보를 빠르게 보지는 못한다. 미나는 감각으로 피아노를 친다. 그런 미나가 한 첫 질문을 잊을 수 없다.

"왜 똑같이 생긴 오선지 같은 위치 콩나물인데 높은 음자리랑 낮은 음자리의 소리가 달라요?"

그 우문 같기도 한 귀여운 질문에

"그건 그냥 약속 같은 거야."

라고 짧게 대답한 것이 아쉽다. 높은음자리표와 낮

은음자리표가 같은 위치이지만 다르게 읽히는 것은 어쩌면 배려가 아닐까? 88개나 되는 건반을 한계가 있는 오선지에 표현하려다 보니 압축하여 자주 쓰이는 음위주로 겹치지 않게 악보를 구성할 필요가 있었고 서로의 음역을 침범하지 않도록 구성한 것의 결과인 것이다.

그러니 현문우답 이었을지도.

미나는 체르니 소나타 대신 재즈피아노를 배우는데 코드와 스케일을 배우고 나서부터 거의 모든 곡을 듣고 칠 수 있게 되었다. 악보를 안 보고 자기가 생각을 해야 재즈피아노가 느는 것은 맞는데 아무래도 안 봐 버릇을 하니까 점점 못 보는 것도 같다.

미나는 내가 가르치는 학생인데 교습법은 여타의 학생들과 다르다. 일단 유튜브에서 곡을 찾아 같이 듣는다. 곡에 대한 인상을 만들어주기 위함이다. 원곡을 한 번 들으면 어떤 부분이 크레셴도인지 어느 부분이 슬프게 연주하는 부분인지 이해가 선다. 그 다음 내가 피아노로 시범을 보인다. 내가 가르치는 것은 거기 까지이다. 그러면 미나는 자신이 곡을 이해한대로 재구성해서 치는 것이다.

오늘도 열한시에 올 작은 아가씨 미나를 생각하고 있으니 치즈루가 말한다.

★

"원장님, 안색이 안 좋으세요. 괜찮으세요?"

이번 달 들어 두번째로 들은 말이었다.

"응, 괜찮아. 고마워. 리나씨 수업 아닌가? 어서 들어가세요."

나는 리나씨에게 곧 컴플레인이 들어올 것 같아 불안한 마음으로 치즈루를 들여보낸다.

안색이 안 좋다는 말은 집주인 아저씨로부터도 들은 말이다. 너무 아파서 사실 학원 위에 열쇠를 따려고 몸을 펴도 아팠다. 그래서 자연히 구부리는 자세가 되었다. 계속 생리대를 대고 있는데 생리도 끝나지 않아서 불편하다.

이 상황에 적절한 말인지는 몰라도 전장에 나간 전사가 전쟁 중에는 활에 맞아도 아픔을 모른다는 말이 떠올랐다. 그만큼 급박한 상황에 집중해서 무엇을 하고 있으면 아픈 것도 잊어 버린달까. 자기 사업을 하는 사람은 한시도 편할 날이 없다. 바람 잘 날이 없

기 때문이다. 수시로 오는 컴플레인에 대응해야지, 직
원들 관리해야지, 가르쳐야지……

　내일은 토요일이니까 대학 병원을 가서 산부인과
검진을 받아 봐야겠다.

　병원에 가서 무언가를 하는 것은 매우 불편하고 불
쾌한 일이다. 학원일이 바쁘기도 했지만 병원을 워낙
안 좋아해서 이제껏 아파도 동네병원조차 가지 않았
다. 그래서야 주사 맞기 싫어하는 아이 보다 못하다
는 생각이 들었다. 먼 곳에 있는 Y시 대학병원까지
가야하기 때문에 오랜만에 차를 타려고 한다. 이 차
는 국내 차이지만 연비가 좋고 승차감과 추진력이 좋
아서 학원을 차리고 빈 돈으로 처음 내게 시준 선물
이다.

　차에 시동을 거는데 부르르릉 소리를 내다 이내 꺼
져 버린다.

　'어… 이상하다. 이게 왜 이러지?'

　다시 한번 가스불 켜듯 세게 시동을 걸었다 손을
놓아본다. 또 꺼져버린다. 차가 방전이 된 것 같다.

쓸 일이 없어 주차장에 오래 방치를 해 두었더니 방전이 되었나보다. 얼른 기사 서비스를 불러 충전을 하고 겨우 겨우 길을 나선다.

뭔가가 잘못되어 병원에 가는 것이기 때문에 몹시 신경이 날카롭다. 라디오가 흘러나오고 있던 것도 눈치채지 못했다. 몸 상태가 많이 안 좋은데 큰 병이면 어떡하지? 물론 그렇게 아프면서도 병원을 안 간건 백번 내 잘못이다. 하지만 막상 큰 병이라는 진단을 받으면 어떻게 할지 아직 구상이 안 섰다.

어느 책에서 읽은 구절이 생각난다. 다른 사람 다 죽어도 자신은 차에 치여도 왠지 안 죽을 것 같다고 자신이 슈퍼맨이라고 착각하는 증세는 자아가 발달할 때 생기는 증세이며 주로 유아기때 생기고 성장할 수록 나아진다고 쓰여있었다.

나도 생각해보니 비슷한 증세를 겪었던 것 같다. 다른 사람들이 다 병에 걸려 투병하거나 죽어도 왠지 나한테는 그런 병이 찾아오지 않을 것 같다고 생각하는 것이다. 병이 찾아와도 노력하면 안되는 것은 없다고 생각했는지도 모른다.

지금껏 금수저로 태어나서 가정부가 도련님~ 아가

씨~ 하고 부르는 집에서 태어나 아이 때 밥도 떠먹여 줘서 젓가락 쓰는 법도 늦게 배우고 과목별로 가정교사를 붙여줘 밥 떠먹이듯이 수학, 영어를 배워 좋은 유치원에 입학해 에스컬레이터식으로 같은 학교 라벨의 대학까지 완주하고 그것을 본인의 힘이었다는 식으로 뻔뻔하게 이야기하는 것을 들으며 부러움조차 생기지 않았다. 무슨 대강 비슷한 레벨이어야

'우리 엄마도, 아빠도 그래줬으면…'

하고 바랄 텐데 우리집 사정은 그 지경이 아니었다. 문득 도쿄 도심 한복판의 M대학근처를 지날 때의 일이 떠올랐다. 그날따라 학교 설명회가 있는지 온통 검은 옷을 입은 학부모들이 줄을 서서 입장을 기다리고 있었다. 그 검은 옷이, 나에게는 권력의 상징이자 힘처럼 느껴졌고 순간 등골이 오싹해졌다. 정확한 이유가 있었던 것은 아니다. 그냥 누군가 나와 그렇게도 다른 배경의 사람들이 M대학에 자신의 자녀를 넣으려고 그 상복 같이 생긴 기분 나쁜 옷을 입으며 때를 기다리는게 기분 나빴다.

그 행렬 속에서 하나의 관계없는 행인이 되어 지나가려는데 어떤 상복을 입은 어머니가 학교랑 자신이

나오게 사진을 찍어달라고 했다.

사진을 있는 그대로 찍어줬더니 마음에 안드는지 다시 이야기한다.

"저기 다시 한번 부탁드려요~"

무척 기분이 상했다. 그래. 나는 그 행렬에 낄 수 있는 사람이 아니다. 그리고 그 상복 같은 것도 입기 싫다. 그래도 학교랑 자기 나오게 찍어줬으면 그만이지 전문적 사진을 원했으면 본인이 사진기사를 고용하면 되는 것 아닌가? 애원하듯 정중히 이야기한

'부탁합니다.'

가 아니고 당연스레 뻔뻔히 하는 부탁이어서 조금 놀라기까지 했다. 그렇게 다시 찍어주니

"딱이에요! 고마워요."

라는 것이다.

딱이라고?

찍은 사진에 평가까지 친절히 해주셔서 앞으로 사진 찍는데 퍽 도움이 될 것 같다. 그 에피소드는 생각할 때마다 기분이 나쁘다.

나는 자립해 돈을 모으느라고 병원에 갈 시간을 내기도 여의치 못했다. 어쨌든 문제가 있다면 산부인과 쪽인 것 같은데, 암이면 어떡하지?

속으로 암이 아닌 이유를 꼽기 시작했다.

'일단, 식사도 잘하고, 음… 일도 하고 있고, 배는 아프긴 하지만 진통제 먹으면 참을만 하고…'

그러나 놀랍게도 암이 아닌 이유를 생각함과 동시에 잘은 모르겠지만 암 같은 중병인 이유가 더 또렷이 생각나는 것이다. 식사는 하고 있지만 입맛이 없고, 체중은 7키로 이상 줄었고, 통증이 심해지는 추세이고, 하혈도 양은 매일 다르지만 나오고 있고. 중병이 확실한 것 같다.

'병명을 듣기 전 환자의 마음은 사형을 구형 받기 전 피고인의 마음과 같으려나?'

절박하게 '그것만' 아니었으면 하고 빌고 또 비는 것이다. 재판에서 선고가 나올 즈음이면 이미 승패는 가려져있다. 예상을 뒤엎고

'서프라이즈! 이번에는 무죄를 선물합니다.'

하며 변호사도 주장하지 않은 무죄를 멋대로 구형

할 수는 없다. 피고인도 그쯤 되면 자신에게 내려질 형량을 얼추 가늠할 수 있다.

그럼에도 나는 가벼운 형량이거나 집행유예 같은 일시적 형이었으면 하고 바래 보는 것이다.

도착한 병원 로비에는 온갖 환자들로 보이는 사람들과 보호자로 가득했다. 그 자체만으로도 숨이 막혀온다. 머리카락이 없어 모자를 쓴 사람들은 눈썹도 없었고 입술은 파랗고 얼굴은 노랬다. 링거를 힘겹게 끌고 다니며 거동을 한다. 항암 치료를 받고 있나 보다. 접수를 하고 기다린다. 얼마나 지났을까? 간호사가 나의 이름을 부른다.

"기시카와 마츠코씨~ 진료실로 들어가세요."

마취제를 팔에 넣는 위 내시경도 정말 싫지만 산부인과 진료가 가장 싫다. 안으로 내시경을 하느라 의사가 휘적 휘적 할 때마다 아랫배가 몹시 불편하고 아파왔다. 의사가 다했으니 옷을 입고 옆의 테이블로 나오라고 한다.

나는 속옷을 챙겨 입고 간호사가 준 패드를 대고

선생님께 양형 선고를 받으러 간다.

"기시카와 씨, 자궁경부에 큰 혹이 있어요. 정확하지는 않은데 암인 것 같습니다. 조직검사 결과는 다음주에 나오는데 언제 오실 수 있어요?"

"토요일 같은 시간 정도요."

"혹이 이렇게 크면 아프거나 움직이기 힘들 수 있는데 증상 같은 건 없으셨어요?"

"아…네, 좀 바빠서요."

"혹 사이즈가 워낙 커서 일단은 조직 검사 결과 보고 암이면 얼마나 전이되었는지 CT도 찍어 보시는 게 좋겠어요."

병실을 나오는데 암이겠지 싶었다. 증상도 인터넷에서 찾아본 '자궁암' 증세와 같았고 복부 통증이 너무 심했기 때문이다. 그렇게 오늘은 진통제만 처방받고 차에 탄다.

"그런데 말야, 그런데 말야, 진짜 암이면 어떡하지?"

방금까지 암 이어도 괜찮은 척 했던 것이 혼자만의 공간에 오니까 덜컥 겁이 난다. 울고 싶어진다. 누군가의 탓으로 돌리고 싶다. 엄마나 아빠나 신이나, 하다하다 치즈루 생각까지 난다.

'치즈루 선생 때문에 너무 스트레스를 받아서 이렇게 된 걸 수도 있어.'

결과를 들으러 가야 하는데 가기 싫어서 통화로 알려 달라고 하니 병원 정책상 그건 불가능 하다고 내원해서 결과 확인하고 약도 받으랜다.

조직 검사 결과가 나왔다. 자궁암이라고 한다. 그것도 4기 말기. 여의사가 젊은 나이에 안됐다는 듯 눈꼬리를 내린다. 수술해도 경과가 안 좋고 혹이 너무 커서 진통제 밖에 수가 없다고 한다.

'이렇게 시한부가 되는 거구나.'

"그럼 선생님, 앞으로 얼마나 남은 걸까요?"

시한부 같은 질문이 내 입에서 나오다니. 어이가 없고 믿겨지지가 않고…음, 그래. 딱 그거다. 믿겨지지 않는거.

"그건 확실하게 말씀드릴 수가 없어요. 아주 오래 버티시는 분도 계시고 하니까."

"그래도 많이 보셨으니까 대강은 아실 거 아니에요. 괜찮으니까 말씀해주세요."

"아… 한 반년정도 아닐까 싶어요. 곧 입원하셔야 할 수도……"

서서히 의사가 나에게 던지는 말이 페이드 아웃 된다. 머리가 어지럽다. 순간 그 등받이 없는 검은 의자에서 휘청댔다.

기시카와 씨, 괜찮으세요?"

'그걸 지금 말이라고 해? 너 같으면 괜찮겠냐?'

하는 물음을 삼키며

"미안해요, 괜찮아요."

하고 대답한다.

아주 오래 전 일이 생각났다. 고등학교 학창시절 내내 친구가 없었던 나를 거의 돌봐주시고 키워주신

은사님을 대학 졸업 후 찾아 뵈었다. 은사님의 머리
칼은 이제 거의 백발이 되어 있었다. 염색을 하지 않
은 노안경을 쓰신 은사님은 나이가 드신 모습이 멋있
게 느껴졌다. 오랜만에 나를 봐 기쁘셨는지 은사님은
나에게 점심을 사주고 싶다고 했다. 그 분과 근처 중
화 라면집에서 둘이 식사를 하는데 은사님이 문득 말
씀하신다.

"키요라 군 말인데, 기억나지? 아버지가 돌아가셨
나봐. 임파선 쪽이라고 들었는데 참 안타까워…"

그 순간 생각 하나가 내 머리를 스치웠었다.

'그렇게 못되게 구니까 그런 식으로 벌 받는 거야.'

키요라는 학창 시절 나를 괴롭히려 나의 유일한 단
짝을 빼앗아가고 내 신발장의 구두를 다른 사람 것과
바꾸어 집에 돌아가지 못하게 하는 이상한 짓을 벌이
는 '나쁜'애였다. 은사님이 나를 감쌀수록 괴롭힘은
더 심하고 이상한 식으로 발전했다.

키요라네 가정도 좀 불우했던 것으로 아는데 아예
그런 면으로 둘이 친구가 될 수는 없었을까? 나는 키
요라를 용서 할 수 없었다. 디테일은 달랐지만 가정

적으로 불화가 많은 집에서 태어난 나에게 자기와 비슷한 냄새를 맡아서 그랬는지 키요라는 나를 안 좋게 대했다. 지금 생각해보니 그런 불미스러운 생각을 하다니 그래서 내가 벌 받는 지도 모르겠다.

키요라 아버지도 분명 열심히 일하는 성실하고 정의로운 멋진 사람이었을지도 모른다. 어찌되었든 그것은 키요라와도 다른 문제이고 그 아버지 잘못은 더더욱 아니라는 생각이 든다.

'나 참, 자기가 병에 걸려서, 그것도 죽을 병에 걸려야만 그런 이해가 서는 건가?'

죽는 것도 무섭고 내가 그런 생각을 했다는 것도 무서워지는 날이었다.

★

우리 부모님은 잘 사는 집안은 아니었지만 엄마는 간호조무사로 일하고 아빠는 건설 현장에서 간부로 일을 해서 먹고 사는 데에 큰 불편함은 없었다. 남들만큼 좋은 옷은 못 입고 외식도 어쩌다 한 번이었지만 찢어지게 가난하지는 않았다. 엄마는 방과후면 나를 당시 근처에 생긴 피아노 학원에 보내 피아노를 익히게 했다. 나는 개인교습으로 피아노만 배웠지만 남동생은 별거 별거를 다 배웠다. 없는 돈을 털어 주판학원, 수학은 개인교습, 카라테까지 시켰다. 나도 다양한 것을 배우고 싶었으나 그 하나 고른 것이 피아노였다는 게 훗날 생각하니 너무 다행이었다.

내 불운은 어쩌면 태어날 때부터 인지도 모르겠다. 내 이름 마츠코(末子)의 '마츠'는 그 흔한 소나무 송자가 아니라 끝 말자이다. 그래. 내가 태어나는 마지막 여자아이이면 하는 바람으로 아빠가 붙인 것이다. 그 다음에 태어난 아이는 다행이도 남자였다. 내 위로는 언니도 하나 있는데 언니와 나는 항상 각각 혼자였다. 외로우면 그렇게 둘이 의지하면 되었을 텐데 언니는 나도 같이 징글징글한 모양이었다.

엄마와 아빠는 남동생만 과잉보호 했고 언니는 그런 집이 싫어서인지 성인이 되자 하와이에 있는 일본 남자와 결혼해 성도 갈아버렸다. 기시카와 집안은 지긋지긋하다고 했다. 엄마도 아빠도 나도 남동생도 모르게 혼인신고를 올려서, 엄마가 어쩌다 동사무소에서 등본 떼다가 언니 성이 바뀐 것을 알게 되었다고 한다.

나도 기시카와 집안에서 홀로 살아남는 방법을 배워야만 했다. 공부를 그럭저럭 해서 음대에 합격했을 때 첫 등록금 같은 각종 비용은 엄마가 대주었다. 나에 대한 미안함 때문이었을까? 아니, 그것도 아닌 것 같다. 그냥 나를 떨쳐내려고 했던 것 같다.

가부장 사상이 여느 일본 가정보다 심했던 집이어서 나는 어릴 때부터 뭐든 혼자 했어야 했다. 밖에서 언니가 남자를 만나댈 때 나는 그런 용기는 또 없어서 집에서 남동생이 먹은 것 설거지를 했다.

"마츠코, 물."

하면 설거지를 하다가 말고 물도 대령했다. 그러고 보니 남동생은 어떻게 지내나 궁금하다. 독립은 했나 모르겠다. 히데키를 독립시키기에는 엄마 아빠가 너무 끼고 살아서 부모가 먼저 애를 떠날 수 있겠는지를 물어야 할 것 같다.

히데키도 당연히 엄마 아빠 눈치를 보며 커서 내가 그 아이보다 서열이 밀린다는 것을 알고 있었다. 누나 할 때도 있지만 주로는 '마츠코'하고 불렀다. 미웠지만 그래도 동생이라고 어디 나가면 꼭 히데키는 내가 챙겼다.

★

그나저나 6개월 시한부라니. 이걸 어떻게 해야 하지…? 죽는 건 죽는 것이지만 나의 소유물들과 재산, 벌여 놓은 학원 사업 등을 처리해 놓고 가야 한다. 연락하고 지낼 피붙이가 없어서 이제껏 그렇게 자유롭게 활보했지만 막상 고독사를 한다고 생각하니 서러웠다.

'내가 딱히 나쁘게 산 것도 아닌데…'

죽는 것은 모두 혼자 힘으로 해야 한다. 우리는 생의 이름이 적힌 얼굴을 가지고 태어나지만 동시에 뒷통수에 죽음의 그림자도 가지고 태어난다. 나만 그런 것이 아니라는 것은 조금 위로가 된다. 소크라테스도, 피카소도, 라흐마니노프도 마찬가지이다.

그리고 강을 건널 때 손에 쥐고 갈 수 있는 것은 아무것도 없다. 이쯤 되니 이제껏 동아리 부 활동 한 번 안해보고 그 청춘에 나는 뭘 했나 후회가 된다. 그리고 파트 타임으로라도 일을 해야 했던 나의 환경이 원망스럽고 왜 나만 이리도 억척스럽게 미련 곰탱이같이 살아야 했는지도 모르겠다.

서점에서 책을 세권 정도 샀다. 지유가오카에 있는 작은 중고 책방이다. 한 권에 삼백엔 정도 밖에 안한다. 나는 건강과 에세이 코너를 주로 돌며 책 제목을 구경한다.

'죽음과 마주하기'

'죽기 전에 해야 할 일들'

'죽음 뒤에는 무엇이 있나요?'

하나 같이 이런 제목들의 책이었다.

카운터에서 계산할 차례가 다가오자 문득 부끄러워졌다. 카운터 여자는 내가 죽는다고 생각할까? 아니면 가까운 피붙이가 죽어서 치유하려고 책을 산다고 생각할까? 문득 여자 아이돌의 은밀한 사생활이 들어있는 성인용 잡지를 제 돈 내고 구매하는 아저씨 같이 수치심이 느껴졌다. 볼까지 살짝 달아올랐다.

사실 내가 죽던 내 아버지가 돌아가시던 그 여자의 관심 밖일 것이다. 죽는 것이 뭐 부끄러운 일인가? 하며 당당한 척 가방에 책들을 집어 넣는다.

배가 아파와서 병원에서 준 진통제를 꺼내 먹었다.

★

고독사라는 것은 사실 슬픈 일이 아닐지도 모른다. 천국의 계단은 결국 혼자 밟아야 하는 것이고 모두가 그 수순을 밟을 것이기 때문이다.

과학적으로도 숨이 멎을 때 뇌의 세포가 이미 많이 죽고 선망이 와서 아픔은 그다지 느끼지 못한다고 한다. 나는 나의 죽음을 알릴 상대도 없지만 혹여 그런 사람이 있더라도 죽음을 알리는 것은 사양이다.

자신이 곧 죽는다는 것을 사람들에게 알리는 것은 꼭 협박 같은 것인지도 모른다.

'나 곧 죽으니까 좀 잘해주지 그래?'

'불쌍하게 여겨서 좀 더 잘해주지 그래?'

이렇게 밖에 안 들리기 때문이다.

사실 진짜 나의 마음은 죽는 것이 두렵고, 믿고 싶지 않고, 혼자 가는 것이 싫은 마음이다. 혼자 죽는게 너무 싫고 무서워서 그런 위로 아닌 위로 같은 말을 내게 자꾸 건네는지도 모르겠다. 정신이 혼미해지고 판단력도 흐려지는 것 같다. 화도 예전보다 자주 난다.

★

날이 밝고 일요일이 되었다. 어제는 이런 저런 생각을 하다가 소파에서 잠이 들었나보다. 집 정리를 하겠다고 서재에서 버릴 책을 꺼내고 있는데 팜플렛 한 장이 휘리리릭 떨어진다. A4용지에 인쇄된 그것은 내가 대학 때 선배들에게 받은 동아리 홍보용 팜플렛이었다.

어느 대학교와 같이 나의 대학도 봄이면 동아리에서 홍보를 하며 열정적으로 신입생 모집을 했다. 신입생 모집 시점은 딱 벚꽃이 지며 꽃이 흩날릴 시즌이다. 선배들은

"우리 00부 어때요? 설명회를 B102호에서 하는데 지금 들으러 오세요!"

하며 신입으로 보이는 아이들에게 팜플렛을 나눠주며 말을 건다. 스튜어디스들이 항공기에 탄 손님들의 국적을 말 소리를 듣지 않고도 정확히 가려내는 것처럼 선배들도 1학년 신입생을 정확히 가려내 팜플렛을 준다. 이스터 섬에 모아이 동상이 옮겨진 것과 같은 신기한 현상이다.

벚꽃은 한 잎 한 잎 흩날리고 오케스트라는 축제곡을 연주하고 치어리더 언니들은 작은 단상에 올라가 나팔을 불며 댄스를 춘다. 넋을 잃고 바라보고 있으니 여러 부에서 내게 팜플렛을 준다. 선배들을 보며 나도 뭐라도 좋으니 동아리가 해보고 싶다고 생각했다.

영어 스피치 동아리, 양궁 동아리, 가부키 연극 동아리, 시 쓰기 동아리…… 다양한 동아리가 있었지만 나는 단연 삼바부에 들고 싶었다.

가을 축제 기간이면 삼바부는 비키니 같은 옷에 뒤에 화려한 공작 깃털도 달고 가볍게 몸을 흔들면서 행진도 한다고 했다. 내가 삼바에 매력을 느낀 것은 그 보사노바 풍의 음악 리듬에 인간이 몸을 맡기는 행위가 새의 날갯짓 같이 아름다워 보였기 때문이다.

학생 오케스트라도 들어가고 싶었지만 방과 후 아르바이트를 해야 해서 연습할 시간이 없었고 삼바부도 그랬다. 스치는 여러 동아리의 팜플렛 속에 그 와중에 삼바부 팜플렛을 받았었나보다.

물론 동아리에 들지는 못했지만 이사 할 때도 버리지 않고 소중히 간직했다. 잃어버린 나의 청춘과 꿈이 그 종이에 들어있는 듯 했다.

★

나의 학창 시절은 고독했다. 가진 것, 잘 하는 것이라고는 피아노에 대한 열정 밖에 없어서 가나가와 현의 J음대 피아노과에 입학했다.

'내가 좋아하는 음악가는 누구인가, 나는 어떤 장르의 음악을 좋아하는가.'

이런 당연한 고민도 하지 못한 채 입학을 했고 그것으로 만사형통인 줄 알았다.

독일에서 음악을 공부하고 오신 담당 교수님 오카모토 교수님은 다음 생에 태어난다면 바로크시대의 음악가로 태어나고 싶다고 하셨다. 오카모토 교수님은 음대 부장님 직책을 맡고 계셔서 음대 관련 총괄업무와 학생 지도도 동시에 하셨는데 피아노는 본인이 연주를 하지 않으면 외국어가 퇴화하듯, 음악 근육도 굳는다며 밤중에 피아노 방음실에 가서 연주도 하셨다. 대단한 열정이라고 생각했고 열정을 본받고 싶었다.

그래서 신입생 때 오카모토 교수님의 소문을 듣고

꼭 지도를 받고 싶어 클래식 피아노 강좌를 신청했다. 선착순 마감이어서 떨어지면 어쩔까 가슴 졸이며 컴퓨터 앞에서 기다렸던 기억이 있다.

신청이 성공적으로 끝나자 너무 기뻤다. 그러나 우리의 첫 만남은 그리 좋지 못했다. 나는 기본적으로 악보를 보지 않고 친다. 이유는 딱히 없는데 악보를 보며 치는 것보다 피아노가 내는 아름다운 목소리에 집중할 수 있고 내가 곡과 감응할 수 있기 때문이다.

교수님은 첫 과제 곡으로 바흐의 파르티나 연주곡 5번을 내 주셨다. 오리지날 곡은 G major여서 '레도 시라솔'로 시작하는데 내가 F major인 '도시플랫라 솔파'로 시작하니 교수님의 턱이 바닥에 떨어지는 소리가 났다. 어이없는 광경을 잠시 보시더니 내게 말씀하셨다.

"너 미쳤니?"

그리고는 스케일을 바꾼 이유를 물으셨다. 나는 이유는 대답하지 않고

"정말 죄송합니다. 다음부터 주의하겠습니다."

라고 이야기했다. 스케일을 바꿀 수 있다는 건 알

105

겠는데 자랑하는 것도 아니고 악보를 보긴 봤냐고 물으시는데 대답할 길이 없었다. 교수님은 마저 들으시지도 않고 내게 그 곡에 대한 점수F를 주셨다. 아직 한 학기 안의 과제 평가가 몇 번 정도 더 남아 있어서 과목을 떨군 것은 아니다.

사실 악보집이 학교 근처 학생용 서점에서 천엔 정도에 팔기는 파는데 들으면 칠 수 있는 것을 악보를 사는게 아깝다고 생각했고 그 속에는 내 청음감을 보여주고 싶다는 마음 또한 있었다. 한 번 튀었으니 다음 과제 곡 때는 제대로 악보를 보고 암기해서 과제를 이행하겠다고 다짐했다.

다음 과제 곡은 라흐마니노프 피아노 협주곡 2번이었다. 악보를 사고 CD도 구매하여 라흐마니노프가 되어서 그라면 이 곡을 어떻게 쳤을까 밤새워 연구하고 고민하고 연습했다. 제대로 C minor로 연습했다.

과제 곡 시연 당일이 되었을 때 나는 나의 운명을 직감할 수 있었다. 나는 아웃이었다. 친구들은 모두 악보를 들고 와 피아노 위에 얹어 놓고 연주를 시작했다. 나는 악보를 들고 오지 않았다. 다들 그럴 것이라 생각했기 때문이다.

'누가 연주를 악보를 보면서 해, 아마추어 같이. 악보는 연습할 때나 보는 거지.'

악보를 빌릴 친구도 없었고 교수님도 나를 노려보고 계셨다. 내 차례가 되고 내가 악보 없이 앉자 교수님은 일단 두고 보았다. 연주를 시작하고 악보를 최대한 기억해서 크레셴도 부분, 스타카토 다 지키며 치는데 교수님이 말씀하신다.

"거기까지."

"마츠코 군은 작곡하나?"

온몸이 사시나무 떨 듯 떨린다. 뭘 잘못한 모양이다.

"아닙니다."

"악보를 안 보고 칠 거면 완벽하게 외워오던지. 왜 인버전(같은 스케일 내 자리바꿈)을 하나?"

교수님 말씀 하나 틀린 게 없었다. 다 외우지 못할 거면 악보를 들고 왔어야 했다. 곡을 작곡한 라흐마니노프에 대한 예의도 아니라 생각했다. 라흐마니노프도 화를 낼 것 같았다. 잘못한 것은 맞다. 하지만 여전히 나는 듣고 치고 싶었다.

교수님은 그래도 악보를 익히려는 내 노력을 알아 주셨던 것 같다. 나에게 전과를 허용해 주셨다. 실용음악 쪽으로 전과를 해서 2학년 때부터 재즈를 치자 내 손은 날개를 달았다. 좋아하는 음악을 칠 수 있게 된 것이다. 프랭크 시나트라, 비틀즈, 엘라 피츠제럴드의 대표적 재즈 곡들 뿐만 아니라 몽창 듣는 대로 재즈로 만들어버렸다.

교수님들은 내 재능을 인정해 주셨다. 실용음악 타니모토 선생님은 내게 노래에 스토리를 담아 이야기하듯이 연주하라고 말씀해 주셨다. 나와 나의 즉흥연주에 귀를 기울이고 따뜻하게 조언해 주셨다. 여느 학생에게는 해주지 않는 조언이었다.

그래서 그런지 나는 친구가 없었다. 학식에서 혼자 먹으면 눈에 띄어서 밖에 나가 체인 규동집에서 날마다 토핑을 바꿔가며 규동을 먹었다. 공강시간이면 혼자 피아노를 치며 외로움을 달랬다. 그렇게 낮에는 학교를 다니고 저녁에는 근처 피아노 학원에서 프리랜서로 직장인 위주 재즈 피아노를 가르쳤다. 가끔 재즈 바 같은 곳에서 섭외가 오면 협연을 하기도 했다.

그 당시 내게 재즈를 배웠던 수강생 대부분은 숙제를 제대로 해오지 않아서 어쩔 때는 1년 내내 스케일만 익히기도 했다. 더럽게 진도가 안나가 나는 직장인들의 부족한 열정이 짜증나게 느껴졌다. 하지만, 지금 생각해보니 그들이 음악에 진심이건 말건 사회에서 밥벌이를 열심히 하는 사람들인데 재미라도 느끼게 해줄걸, 하며 후회가 되었다. 재즈는 치는 사람의 텐션을 따라가기 때문에 반드시 치는 사람이 즐거워야 되는데…

나는 외진 골목에 인테리어를 싹 하고 작은 동네 피아노 학원을 만들었다. 그곳의 피아노와 피아노 학원은 내가 전 재산을 털어 만든 나의 숨쉴 공간이었다.

여타의 학원이 홍보에 자금을 쏟을 동안 나는 질 좋은 피아노를 들이는데 자금을 사용했다. 프로이던 아마추어이던 좋은 선생에게 배우는 것이 좋은 것처럼 고운 목소리의 피아노로 연습을 해야 소리도 예쁘고 빠르게 배울 수 있다고 생각했기 때문이다. 그랜드 피아노를 연습실 방마다 넣을 형편은 못되어서 야마하 피아노를 구매했다. 한 학생은 여기서 피아노를 치니 다른 전자 피아노 소리는 못 들어주겠다고 한 적도 있다.

나이가 서른이 넘고 학원을 원장으로 운영하다 보니 이십대 선생들이 부리는 잔꾀가 눈에 보인다. 차라리 안 보였으면 그냥 넘어갈 일이 자꾸 잔꾀 쓰는 것이 보이니 말을 안 할 수도 없고 곤란하다. 부유한 집에서 자라 경험 쌓겠다고 일하는 거 같은데, 나는 차라리 아주 '돈돈'거리는 열심히 일하는 사람이 환영이다. 곧 사업자 파놓은 것을 정리해야 한다고 생각하니 생각나는 것은 딱히 없고 아쉬운 것도 죽는 마당에 별로 없는데 하나 걸리는 게 있다. 미나 학생이다.

미나를 보고 있으면 어릴 적 나를 보고 있는 것 같다. 귀가 좋아서 한번 시범을 보여주면 곧 잘 비슷하게 쳐낸다. 자기가 알던 곡은 시범 없이도 조 바꿈을 해서 칠 수 있다. C코드 베이스라면 어떤 곡이든 거의 가능하다. 미나는 뛰어난 귀를 가지고 있고 누구나 그런 것은 아니어서 감히 재능이라 부를 만하다.

스케일 연습을 매번 충실히 하고 있어 손가락 움직이는 연습도 더 하면 재즈의 기본 소양은 다 갖춘 것 같다.

미나는 처음 우리 학원에 올 때 부모님 동반 없이 홀로 어머니 신용카드를 들고 왔다. 나는 조심스러워져서 미나에게 물어 어머니와 통화 후 결제를 진행했는데 느낌이 쎄했다.

부등교를 하는 것 같다.

어머니는 주무시다 받아 결제하면 될 걸 무슨 전화를 하냐는 식으로 퉁명스럽게 받았다. 상담이 필요하다고 하니 바쁘니까 더 이상 미나일로 전화하지 말라고 들었다. 미나는 나이가 9살이어서 초등학교에 가야할 시간인데 매일 레슨을 오전11시로 신청하는 것이다. 홈스쿨링을 하는 듯 했다.

'초등학생은 의무교육인데 홈스쿨링이 가능하던가? 출생신고는 제대로 되어있나?'

걱정이 됐다. 나는 나름대로 추리를 해 어머니가 술집을 나가서서 낮에 주무시고 애를 낮에 봐줄 사람이 필요해 저렴한 나의 학원에라도 등록시킨게 아닐까 생각이 들었다. 미나도 가정에서 사랑을 충분히 받지 못한 아이인 것 같아 속이 상했다. 그렇다고 내가 함부로 미나와 그 가정일에 끼어들 수도 없는 노릇이라 피아노만 열심히 가르쳤다. 미나가 열 한시 시간 만이라도 즐기며 돌아갔으면 했다. 원래 열두시부터 한시가 학원 점심시간이라 레슨이 없어 미나를 한참 더 붙잡고 가르치곤 했다. 미나는 피곤한 기색 없이 자신만의 피아노를 쳤다.

이제 슬슬 모든 것을 정리해야 한다. 사업을 접고 재산을 처리하고 입원 준비를 해야 한다. 여러 은행에 뿔뿔이 흩어져서 들어 있는 통장 정리부터 시작했다. K은행, S은행, Y은행, N은행… 거의 모든 은행에 계좌가 있었다. 무얼 하느라 그렇게 만든지 영문을 모를 그 계좌에는 100엔이 들어 있기도 했다.

'그냥 놔두면 어떻게든 되겠지'

싶었다. 그것을 일일이 다 해약하는데 시간이 더 들 것 같았다. 하지만 마무리는 똑바로 하고 가고 싶었다. 그래서 은행을 돌아다니며 계좌를 한 곳에 모았다.

유언장도 작성했다. 나중에 정신 없을 때면 나를 챙겨줄 가족도 없으니까. 인터넷에 찾아보니 확실히 유효하게 만들려면 본인 스스로 제대로 기입하는 방식도 있지만 변호사와 증인이 있는 곳에서 유언장을 작성해 국가 유언 보관소에 넣어 놓을 수도 있다고 했다. 변호사 선생님께 의뢰하는 돈이 조금 아까웠지만 변호사와 증인을 부르는 유언공증 방식을 취하기로 했다.

피아노 교실을 처분하고 지금 사는 전세 든 맨션의 전세금은 집주인에 위약금을 물고 반환 받고 치료비에 충당한다.

'재산이 만약 남는다면 그건 어떻게 되는거지?'

변호사 선생님께 여쭈어 보았다.

"기시카와씨가 만약 재산을 그대로 두신다면 나머지는 유족에게 돌아갑니다. 기부를 하시거나 다른 분에게 드린다고 해도 가족 분이 유류분은 청구할 수 있습니다."

내가 이렇게 된 것은 치열하게 살아서 인지도 모른

다. 나도 그런 따뜻한 엄마 아빠가 있었다면 남들처럼 안주하며 대학생활도 즐기고 어쩌면 피아노 교실 개업도 도와줬을지도 모른다. 그러면 내가 아등바등 스트레스를 받지 않으며 살아도 됐고 건강검진도 받았을거고 자궁암 따위 안 걸렸을거다.

부모와는 연을 끊고 지냈고 그런 부모 정도라면 없는 것이 낫다고 생각한다. 그런데 남동생은 무얼 하고 지내는지 마음에 걸린다. 밉상인 남동생은 독립해서 훌륭한 사회인으로 살고 있을까?

연락을 하고 싶다고 느꼈다. 남동생이 어떻게 지내는지 대화라도 몇 마디 할 수 있으면 좋겠다. 그러나 이내 남동생 찾기는 그만두었다. 죽어가는 누나 따위 사실 그에게는 짐일 것이다.

진정한 사회인이란 '취직을 하거나 개업을 하는 사람'이 아니라 자신의 돈으로 무엇이든 하는 사람이라고 생각했다. 그러나 개업을 자신이 아르바이트로 모은 돈으로 온전히 하기는 결코 쉬운 일이 아니다. 도움을 하나도 받지 않은 나는 나를 자랑스럽게 여겼지만 도움을 받을 수 있는 형편이라면 받아, 나중에 갚는 것도 하나의 방법인 것 같다.

간병비로 쓰고 남은 돈이 있다면 전부 남동생에게 유증하기로 했다. 아는 사람이 아무도 없이 고독하게 살은 누나 덕분에 남동생은 또 어부지리다.

'엄마 아빠는 히데키를 상대로 유류분 청구를 할까?'

무엇이 되었던 가족이 법정에 서는 것은 막장이다. 상대가 금이야 옥이야 아끼는 막내 아들이니까 그건 아니라고 빌어본다.

"저, 변호사님, 제 남동생 히데키에게 상속할 때 혹시 편지도 한 장 같이 주실 수 있을까요?"

"네, 그럼요. 꼭 그렇게 해드리겠습니다."

이야기를 들으니 안심이 되었다. 집으로 가서 유서 같은 편지를 작성했다.

아픈 배를 부여잡고 일사불란하게 움직이며 살아온 흔적들을 지워가고 있는데 아직도 처리할 일들이 남아 있다니… 죽는 준비를 하는 것도 쉬운 일이 아니구나 싶었다. 죽음을 앞둔 다른 사람의 경우 배우자가 해주거나 자식이 해줄 일들을 결국 나는 끝내 홀로 하고 있구나.

학원에 미치코 선생과 치즈루 선생에 일당을 더 주고 내가 학원을 오래 비울 테니 몇 시간씩 더 일해달라 부탁했다. 다행히 일정들은 없는 모양이었다. 나는 '살아온 흔적 없애기 놀이'를 마저 한다.

어렸을 때부터 하기 싫은 일이 있으면 무조건 뒤에 '놀이'자를 붙이는 놀이를 했었다. '자습서 모범답안 옮겨 적기 놀이', '설거지하기 놀이', '화성학 공부 놀이'…

그 놀이가 '살아온 흔적 없애기 놀이'라니 내무 서글퍼졌다.

오랜만에 다시 출근을 한다. 아침에 일어나니 새들이 지저귀고 햇살이 환하다. 아홉시는 넘어간 것 같다. 밖의 놀이터에서 아이들이 소리지르며 미끄럼을 타는 소리가 난다. 미나 생각이 났다. 미나에게는 쉼터 같은 이 피아노교실을 접으면 미나는 어떻게 될

116

까? 궂은 집안일을 하며 돌봐 주는 사람 없이 덩그러니 집을 보고 있을지도 모른다.

출근을 하니 엉망진창이었다. 대충 이럴거라 예상은 했는데 화장실에는 휴지가 없었고 아이들은 소리를 지르며 뛰어다니고 있었다. 화가 났지만 오늘은 잔소리는 접어두려고 한다.

레슨이 비는 점심 시간에 미치코와 치즈루를 불렀다. 작은 탁상이 있는 직원 점심 먹는 공간에서 이야기를 꺼냈다.

"오늘 레슨은 어땠어요?"

"딱히 특별한 것은 없었어요. 체르니 치고 팝음악 진도 나갔어요."

"그래요. 뭐라고 이야기 해야 좋을지 생각을 못했는데, 이번 달 말로 학원을 접을 거에요. 그러니 신규 학생은 받지 말고 홈페이지랑 광고 정리하는 법은 이따 알려줄께요."

"헐, 그럼 저희는 어떡해요?"

"치즈루 선생님과 미치코 선생님 모두 다 애써 주신 것 제가 잘 알고 감사하고 있어요. 두 분은 퇴직

금에다가 저의 성의도 얹어서 드릴께요. 다른 학원에 가게 되시면 추천서랑 재직 증명서도 드리고요. 성의로 5만엔씩은 챙겨 드릴께요. 많이 못 드려서 미안해요."

"네에"

두 사람이 대답했다. 나는 이해가 안 된다. 못 배운 집 자식들은 아닌 것 같은데 사회 경험이 부족한 것 플러스 이제는 불성의에 악의까지 느껴진다. 보통은 왜 문을 닫냐, 건강은 괜찮으시냐 이런 말을 하는 것이 보통 아닌가? 나의 성의가 마음에 들었는지 더는 물음이 없어 회의를 끝냈다.

'음…아니지, 내가 미안한 일을 하는 판국에 자꾸 또 넘 평가나 하고 있네.'

죽는 마당에 다른 사람 반응 따위 아무래도 좋았다.

상태가 점점 안 좋아진다. 하혈이 너무 많아 학원에 나올 수 없을 것 같다. 입원을 하기 전에 미나에게 꼭 인사가 하고 싶었다. 미나에게 사실대로 이야기 할 수는 없다. 어린 아이에게 가까이서 '죽음모범 수'가 되는 것은 바람직하지 않다는 느낌이 들었다.

어느덧 학원을 여는 마지막 날이 되었다.

★

오늘도 열한시에 미나 수업이 있는데 사실 걱정이 되었다. 미나가 마지막이라고 안 오면 어떡하지? 마지막 수업은 내게도 부담스러운 수업이다. 그래도 꼭 미나가 피아노를 치는 소리를 듣고 싶었다.

열 한시 정각에 미나가 학원 문을 열고 들어왔다. 미나도 학원이 문을 닫는다는 사실을 안다. 그래도 와 주다니, 기특했다.

"미나야~ 오늘이 벌써 마지막 수업이네?"

"네"

"그동안 미나 치는 모습 보는게 선생님은 참 기뻤어. 앞으로도 피아노 사랑할꺼지?"

"네"

미나는 속이 무척 상한 모양이었다.

"근데 선생님 왜 그만두는 거에요? 피아노가 싫어

졌어요?”

“선생님이 친가로 이사하게 되서 이쪽으로 자주 올 수가 없게 되었어, 미안해.”

피아노 위에 얹어진 미나를 위한 선물을 건넸다. 귀여운 미나를 꼭 닮은 코리락쿠마 그림이 그려진 지갑이었다.

“지금 뜯어봐도 되요?”

“그럼~ 마음대로 해.”

“와아!”

미나는 어린이 답게 금새 기쁜 표정이 되었다. 나는 그 천진난만한 얼굴이 제일 좋다.

“오늘 수업은 마지막이니까 선생님이 좋아하는 곡을 가르쳐 줄께. ‘Fly me to the moon’이라고 오래 된 재즈 음악인데 들어보면 미나도 알 걸?”

이 곡에는 세븐스코드가 중점적으로 나오는데 미나에게 가르쳐 준 적은 없어도 이미 스케일과 코드는 꿰고 있어서 문제 없다.

미나가 내 연주를 듣고 음을 추가했다 생략했다 하

면서 변주한다.

'미나의 재능이 아깝다. 미나는 다음 스텝을 밟아야 한다. 다음 선생님은 나보다 실력이 좋아서 미나의 재능을 발휘할 수 있게 도와주면 좋겠다. 콩쿠르도 나가고 입상해서 피아니스트가 되도 좋을 것 같다.'

미나의 연주가 끝나고 항상

'감사합니다'

라고 하던 인사를,

"감사했습니다."

라고 하는 순간 가슴이 먹먹해졌다. 죽는게 다시금 억울해 졌다. 티를 내지 않으려 노력하며 미나를 보내고 그 피아노실의 악보를 치우며 눈물을 훔쳤다.

선생님들도 가버리고 나만 덩그러니 남은 이곳은 저 세상인가 싶었다. 홀로 고독하게 태어나서 고독하게 가는구나 싶었다.

미나가 방금까지 앉아서 연주하고 간 피아노의 머리를 손으로 쓸며 피아노에게 이야기한다.

"수고했어, 고마워."

검은 색 소리가 아름다운 야마하 피아노에 이번엔 내가 앉아본다. 블루 먼데이, 파리의 미국인, 랩소디 인 블루…… 거슈윈의 곡들을 하나씩 치는데

'한 곡만 더, 한 곡만 더 치고…'

이런 생각이 든다. 손이 멈추지 않는다.

그날 피아노를 치다 꿈을 꾸었다. 미나와 피아노를 치던 방음실 2층으로 계단 하나 하나를 밟으며 올라가니 미나가 웃으며 인사한다.

"선생님, 안녕하세요!"

2층의 첫 방 방음실은 뽁뽁이는 그대로 달려 있는데 위가 뚫려 있다.

'원래 천장이 없었나?'

"미나야, 저번에 가르쳐준 Fly me to the moon, 그 곡을 한번 선생님에게 쳐 주겠니?"

미나가 손을 움직이기 시작한다.

선율에 집중한다.

Fly me to the moon은 정말로 그렇게 나를 천상계에 데려다 주었다.

참 좋은 삶이었다

퍽 하는 굉음소리와 함께 달려오는 파란 외제차 앞쪽 본네뜨부터 뒤쪽까지 데굴데굴 굴러 떨어진 것은 삽시간이었다. 좌회전 신호에 노란 불이 켜지고도 꼬리잡기를 시도하였던 것이다. 나는 몇 초 되는 아주 긴 시간 동안 충격과 함께 스러져 온 몸으로 스미는 아픔을 느끼다 이내 털고 일어났고, 피투성이가 되어버린 나를 위에서 바라보았다.

'아마, 죽은 거겠지.'

......

웅성웅성대는 군중들 사이로 한 남자기 걸이 왔디. 바지에서 담뱃갑을 꺼내어 한대 물며 말이다. 잘 생기지도, 그렇다고 나무랄 데도 없이 멀쩡하게 생긴 그는, 나와 눈을 맞추었다. 나는 대뜸 물었다.

"안 따라가면 어떻게 되는데요?"

"구천을 떠돌겠지. 지금까지 네가 안다고 생각했던 사람들을 보며 함께할 수는 없다는 사실에 좌절 할꺼야. 대부분의 망자는 마음이 썩어버려 미물이 되어버려. 어쩔래?"

나는 말 없이 따라가기 시작했다.

생각해보니 그가 담배를 물기 시작하고도 꽤 시간이 흘렀지만 담뱃개비는 줄어들지 않았고 냄새도 나지 않았다. 사고 현장을 벗어나 구불구불한 길을 걸었다. 살아온 인생만큼이나 구부진 길이었다. 나무에 열매가 열려 있었는데 함부로 따 먹었다가 창세기 아담과 이브처럼 화를 당하는 것은 아닌가 두렵다는 생각이 들었을 뿐, 내가 치인 차에 대한 정보도, 삶에 대한 미련도, 이를 수습해야 할 경찰과 그리고 남은 우리 엄마에 대한 생각도 일절 들지 않았다.

신비로운 길이었다.

그는 이윽고 뭍에 다다르자 사공에게 귓속말을 하고 나를 배에 태웠다. 그리고는 이내 모습을 감췄다.

"바닷바람이 춥죠?"

추위도 더위도 냄새도 맛도 잃어버린 내게 사공이 물었다. 망자를 많이 태웠을 텐데 알면서 물어보는 것이었다. 나는 이름 모를 온기를 느꼈다. 아… 온기는 감촉으로만 느끼는 것이 아니구나.

이 사공이라면.

질문이 하고 싶어졌다.

"이제 어떻게 되는 거에요?"

사공은 노련하게 웃었다.

"흐흐. 그것이 제일 궁금하지요? 망자들이 제일 궁금해 하는 질문이죠. 천국을 가냐, 지옥을 가냐, 뭐 그런 것 말이지요?"

"네, 그래요."

"망자의 살아온 삶에 따라 의식의 방법이 달라요. 키우던 물고기를 변기에 내려 보내는 것도, 양지 바른 곳에 묻어주는 것도 그 분의 마음이지요. 우리가 건너는 이 강은 시간의 강이에요. 제가 그 곳에 데려다 드리면 이승에서는 3년이 흘러 있을 거에요. 당신의 경우 3년 만큼을 건너야 해요. 나머지는 저 같은 미천한 사자는 모르는데…"

사공이 얼굴을 반 정도 가린 머리카락을 쓸어 넘기며 말을 이었다.

"참, 이, 사실 사자님께서 방금 내릴 때까지는 말하

지 말라고 하셨는데…"

두통이 생기려고 했다. 육체는 이미 없으니 상상통
일 것이다.

"빨리 말씀해 주시면 좋겠어요."

"그러니까 그, 환생클럽에 데려다 드리라는 지시가
있었어요. 아무나 가는게 아니에요~그 분이 지정한
사람만이 가는 곳이에요. 어떤 판단 기준인지는 모르
고, 암튼 좋은 데에요."

물어보고 싶은 것 투성이였지만 그는 처언 천히 노
를 젓다가 뭍으로 보이는 곳이 나타나자 나를 내려
주며 배웅해 주었다.

사람들이 웅성웅성 모여 있었다. 사람?...

나를 보고 그들이 손을 흔들기 시작했다. 나는 뭍
에 발을 디디고 습관처럼 꾸벅 인사를 했다. 손을 흔
들었으면 좋았으려나.

"환생클럽에 어서오세요!!"

제일 어려 보이는 여자가 나를 보고 치아를 드러내
보이며 웃어주었다. 한기는 없었지만 몸이 부들부들

127

떨리기 시작했다.

'뭐가 어떻게 된 건지도 모르는 상황에 사자도, 사공도 만났다. 이 세상의 것이 아닌데. 이 세상? 이 세상은 떠나온 땅을 이야기 하는거 라면 어디가 이 세상? 3년이나 흘렀다고? 아직도 파란 차에서 데굴데굴 구른 것이 생생하게 느껴지는데.'

"그래요. 생각이 많지요?"

이번에는 중년 남성 망인이 말했다.

"이리 와서 일단 앉아요."

그는 청색 빛깔이 도는 컵에 물을 따르는 듯 했다. 나에게 차를 내어주는 것인가. 연기가 자욱하게 올라왔다. 뜨거운 물인 듯 싶었지만 받아보니 아무 것도 없었다. 그저 연기였다.

"환생클럽은…쉽게 말하면 망자의 소원대로 환생을 도와주는 데에요. 원하는 걸로 다시 태어날 수 있다고요. 사랑하는 사람과 다시 만날 수도 있죠. 다른 관계로 만날 수도 있고요. 물론 기억은 없어질 테지만 말이에요. 여기 있는 사람 모두 사연이 있어요. 그 분이 모두의 소원을 들어줄 수는 없잖아요? 뭔가의 작용에 의해 억울한 죽음… 이런 사람들이 모이게 된 것이 아닐까 저는 감히 생각해 봤어요. 아닐 수도 있고요."

나는 그가 내어준 연기를 들이키는 시늉을 하고 이야기했다.

"환생이라. 저는 아직 죽은 것 같지도 않아요."

"그야 오신지 얼마 되지 않았으니까. 소원은 사자가 그 분에게 전달할 거예요. 그런데 말이죠, 이곳에서는 시간이 다르게 흘러요. 이승에서의 100년이 이곳의 한 달이기도 하고, 그 반대로 흐르기도 하죠. 저는 이 환생클럽에 제일 오래 있었어요. 수 많은 사람이 스쳐가는 것을 보았죠. 먼저 들어온 사람이 제일 나중에 나가기도 하는 걸 보면."

"미로 같기만 하네요. 언제까지 결정해야 하나요?"

"말씀드렸잖아요, 시간이 다 다르다고. 사자가 소원을 받으러 오는 시간이 다 다른거지요. 바꿔 말하면 빨리 정하는 게 좋을 거예요. 이제 버스에 탑승해서 행선지로 가시지요."

나는 마이크로 버스에 올라타 어디론가 향하던 중

잠에 빠지고 말았다. 사고가 나기 전 평생을 불면증과 씨름하던 사람의 오랜 깊은 잠이었다.

자가용 안에서 시집을 읽는 여자의 모습이 슬라이드 쇼처럼 순식간에 지나갔다. 눈비가 와도 변함 없이 자가용에서 시집을 읽고 있는 여자는 학원에 보낸 아이를 기다리고 있는 것이었다.

우리 엄마잖아.

교양 있는 모습이라기보다는 렉스 토끼의 온기 같은 따숩고, 아주 그리운 모습을 하고 있었다.

친구가 하나도 없는 나는 아빠가 돌아가시고 나서 더욱 마음의 문을 닫아 놓았고 엄마에게 심하게 짜증을 부리기 시작했다. 엄마와 다투고 난 다음에,

"이리와. 아빠랑 나가서 켄터키라도 먹자."

라고 살살 달래주는 아빠가 없는 것이 너무 슬펐다. 친구도 없고, 아빠도 없으면 어떻게 해야 하지.

모든 것이 엄마의 탓인 마냥 엄마와도 거리를 두었다. 엄마가 힘든 줄은 알고 있었지만 이렇게 오래토록 차 안에서 나를 기다리고 있는 줄은 몰랐다. 숲이라면 나무가 무성하게 우거지도록 엄마는 기다렸다.

슬라이드의 첫 장면보다 맨 마지막 무렵의 엄마는 무성하게 얼굴에 주름이 져 있었다.

......

꿈 속에서 나를 흔들어 깨운 것은 다름 아닌 사자였다. 조금만 더 꿈을 꾸고 싶었다. 꿈 속에서 깨어나지 않기를 바랐다. 그러나 삶도 죽음도 뜻대로는 되지 않는 일장춘몽인가보다.

나를 처음에 데리고 온 그 사자는 이번에는 나그네 같은 밀짚 모자를 쓰고 나타났다.

내게 조금의 웃음을 지어 보여 주었다.

"이제는 소멸해야 해요."

나의 소원은 단 한가지였다. 복잡하게 여러가지로 생각했던 것들이 정리가 되는 것이다.

"환생, 하시겠습니까?"

"응. 환생할래."

"무엇으로 환생하시겠습니까?"

나는 진심을 다해 기쁜 마음으로 입을 떼었다.

"꽃다발.

우리 엄마의 꽃다발로 태어날래. 프리지아 좀 많은 걸로 해 주겠어?"

사자는 이내 모자를 벗더니 소원을 들어주는 듯 고개를 조금 끄덕였다.

"알겠습니다. 이제 꽃다발이 되어, 다음 생으로 전진하세요."

문득 내가 타고 온 마이크로 버스에 바퀴가 달려있지 않았다는 사실을 깨달았다. 점점 투명해져가는 다리를 보며 방긋 웃었다. 지상의 프리지아가 바람에 흔들리고 있었다.

환생클럽

발 행 | 2023년 12월   08일

저 자 | 송혜원

펴낸이 | 한건희

펴낸곳 | 주식회사 부크크

출판사등록 | 2014.07.15(제2014-16호)

주 소 | 서울특별시 금천구 가산디지털1로
119 SK트윈타워   A동 305호

전 화 | 1670-8316

이메일 | info@bookk.co.kr

ISBN | 979-11-410-5839-5

www.bookk.co.kr
ⓒ 환생클럽 2023